閱讀，探索世界的方式

曾卓然 著

比較不同的書本，猶如比較城市，書本有書本的矛盾，城市有城市的，找尋一種觀看的方法，城市是書本的背景，影響了書本的產生。

——也斯《書與城市 · 序》

1980's

1970's

2010's

2020's

《人渣》

作者	洛風
出版資料	香港：求實出版社，1951 年初版
原價（人民幣）	$6700

洛風為小說家阮朗（原名嚴慶澍）早期筆名，小說連載於《新晚報》，原名《某公館散記》（筆名「本宅管事」）。封面由藝術家黃永玉設計。

《海底長征記》（複印本）

作者	〔美〕比齊（E. L. Beach）原著，愛珍譯
出版資料	香港：中南日報，1954 年初版
原價（港幣）	$1.2

原著寫於第二次世界大戰，譯文連載於《中南日報》1954 年綜合報「中南海」。直至近年因譯者被確認為張愛玲，而備受關注。

《青春之歌》

作者	楊沫
出版資料	香港：生活・讀書・新知三聯書店香港分店，1959 年
原價（港幣）	$2.1

楊沫長篇小說，為其代表作。故事以「九一八」、「一二九」期間為背景，刻劃當時知識分子在生死存亡間的成長與覺醒。銷量多達 500 萬冊，陸續被翻譯成多國版本。

《蓮的聯想》

作者	余光中
出版資料	香港：文藝書屋，1968 年初版
原價（港幣）	$2.5

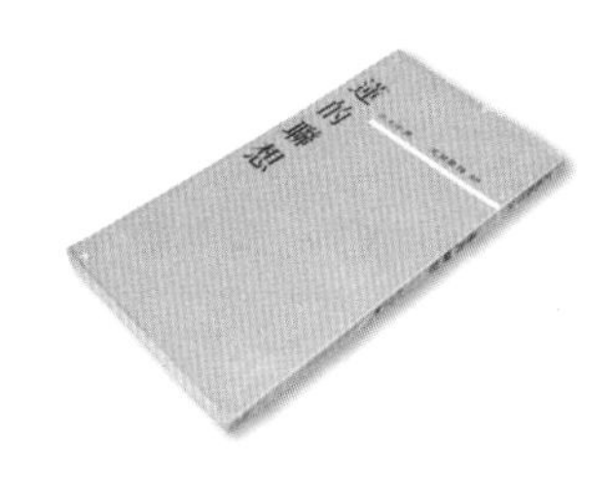

余光中第九卷詩集，收錄名詩〈等你，在雨中〉、〈蓮的聯想〉。原於 1964 年台北文星書店出版，此為香港版。

1《馬路集》 2《書與橋》 3《閑步集》

作者	1 蕭銅	2 陶融	3 龍韻
出版資料	香港：萬葉出版社，1974 年初版		
原價（港幣）	$5		

「南斗叢書」一共十本，事緣《文藝世紀》停刊後，一眾圍繞該刊的作家受邀一同著書。叢書設計由夏果（原名源克平，龍韻為其筆名）負責，以帶花色塊由深至淺排列，清雅大方。

《雷聲與蟬鳴》

作者	梁秉鈞
出版資料	香港：大拇指半月刊，1978 年初版
原價（港幣）	$10

梁秉鈞（也斯）首本詩集，封面由劉佩儀（劉掬色）設計，配圖由版畫家駱笑平繪製。

《哥德巴赫聯想》

作者	徐遲
出版資料	香港：生活・讀書・新知三聯書店香港分店，1978 年初版
原價（港幣）	$3.5

當代作家徐遲之報告文學集，同名文章原刊於《人民文學》1978 年第 1 期。內容敘述陳景潤的生平，和其證明「陳氏定理」的過程。原版於香港發行後極速售罄，再由香港三聯書店重印發行。

《隨想錄》

作者	巴金
出版資料	香港：生活・讀書・新知三聯書店香港分店，1979 年
原價（港幣）	$8

巴金晚期回憶錄，一連五冊，收入香港三聯書店「回憶與隨想文叢」系列。隨後兩冊《探索集》和《真話集》分別於 1981 年和 1982 年出版。

《山水人物》

作者	也斯
出版資料	香港：香港文學研究社，1980 年
原價（港幣）	$15

也斯散文集，獲劉以鬯邀請出版。內容收錄其對亞洲和美國等若干風景和人物印象的即景。

1《探索集》 2《真話集》

作者	巴金	
出版資料	1 香港：生活・讀書・新知三聯書店香港分店，1981 年初版	2 香港：生活・讀書・新知三聯書店香港分店，1982 年初版
原價（港幣）	$10	$12

巴金「隨想錄」接續兩集，分別記錄其於 1980 年和 1981 至 1982 年的隨想文章，一併收入香港三聯書店「回憶與隨想文叢」系列。

《剪紙》

作者	也斯
出版資料	香港：素葉出版社，1982 年初版
原價（港幣）	$12

也斯中篇小說名作，素葉文學叢書第十五種，原載於 1977 年《快報》「快活林」版，以魔幻寫實、文本拼貼等手法，呈現雙線的愛情故事。

《春望》

作者	西西
出版資料	香港：素葉出版社，1982 年初版
原價（港幣）	$14

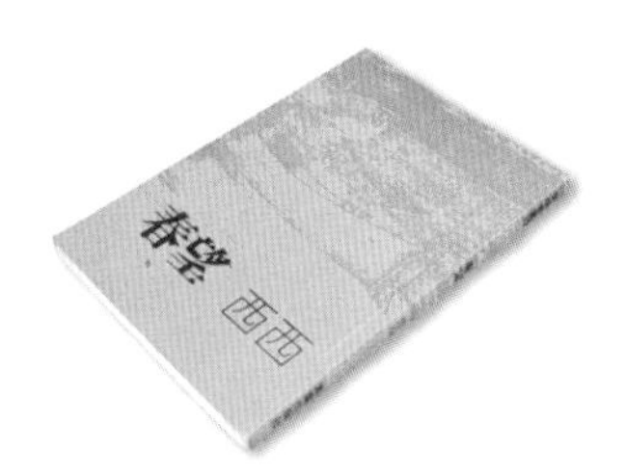

西西小說集，素葉文學叢書第十九種，名篇有〈感冒〉和〈像我這樣的一個女子〉。

《春在綠蕪中》

作者	鍾曉陽
出版資料	香港：大拇指半月刊，1983 年初版
原價（港幣）	$16

鍾曉陽早期散文小說合集，封面設計由劉佩儀負責。原先計劃出版其小說《停車暫借問》，後來改為推出本書。現今版本已將小說部分抽走，以散文為主。

《爆竹煙花》

作者	李碧華
出版資料	香港：天聲出版社，1983 年初版
原價（港幣）	$14

李碧華第二本散文集，於其著作中最為罕見。內容選自 1977 年至 1982 年文章，部分為作者當記者時的人物專訪。封面由藝術家蔡浩泉設計。

《向水屋筆語》*

作者	侶倫
出版資料	香港：三聯書店香港分店，1985 年初版
原價（港幣）	$20

侶倫晚年回憶文集，列入香港三聯書店「回憶與隨想文叢」系列。內容由作者於《大公報》同名連載專欄及其他文章中選編而成，題材圍繞戰時回憶、生活記錄、書話、文壇往事等等，深具文化價值。

* 本書在 2023 年推出新版，請見 2020's。

《揚眉女子》

作者	黃碧雲
出版資料	香港：博益出版集團有限公司，1987 年初版
原價（港幣）	$20

黃碧雲首本著作，以自省、欣賞和批評社會種種，文章主題分為「遊記」、「傳媒和消費文化分析」、「書評」、「人物專訪」等，從而一窺黃碧雲早期的寫作視角。

《香港，香港……》

作者	柳蘇
出版資料	香港：中國圖書刊行社，1987 年初版
原價（港幣）	$25

柳蘇為著名報人、作家羅孚與其夫人共用之筆名。文章多捕捉香港社會風情與現象，書寫於 1980 年代兩人離港蟄居北京期間。內文配上香港畫家歐陽乃霑畫作，結合起來將城市風景呈現得繪形繪色。

1《海辛卷》 2《梁秉鈞卷》

作者	1 海辛編著	2 梁秉鈞（集思編）
出版資料	香港：三聯書店（香港）有限公司，1988 年初版	香港：三聯書店（香港）有限公司，1989 年初版
原價（港幣）	$39	$49

「香港文叢」系列，為香港著名作家專集，整理作家不同文類作品及評論文章，立體呈現作家的寫作特色和獨特位置。已收錄的作家一共十位，本書展示其中四位（海辛、梁秉鈞、西西、曹聚仁）。兩卷皆有部分作品首次結集，較具原創性。

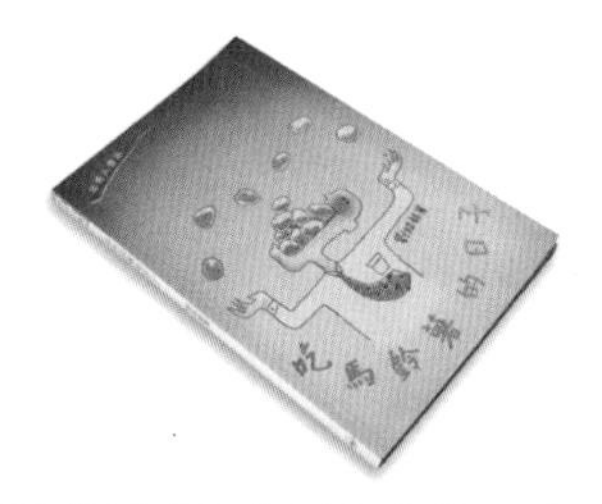

《吃馬鈴薯的日子》

作者	劉紹銘
出版資料	香港：三聯書店（香港）有限公司，1991 年初版
原價（港幣）	$28

本書為「年青人書系」叢書，記述劉紹銘教授童年歲月和在美國唸書的日子，以自身生活經歷給予讀者借鑑。

《香港文學探賞》

作者	陳炳良編
出版資料	香港：三聯書店（香港）有限公司，1991 年初版
原價（港幣）	$54

本書收錄 12 篇論文，從不同角度剖析香港文學作品。箇中新秀論者大多同為作家，如梁秉鈞、劉以鬯、陳少紅（洛楓）、羅貴祥等等。

1《西西卷》 2《曹聚仁卷》

作者	1 西西（何福仁編）	2 曹聚仁（鄧珂雲、曹雷編）
出版資料	香港：三聯書店（香港）有限公司，1992 年初版	香港：三聯書店（香港）有限公司，1998 年初版
原價（港幣）	$82	$66

「香港文叢」叢書。《西西卷》榮獲 1993 年香港中文文學雙年獎小說獎；《曹聚仁卷》由曹氏妻女編選，兩卷均為具代表性的優秀選本。

《周作人》

作者	周作人（張梁編）
出版資料	香港：三聯書店（香港）有限公司、人民文學出版社，1994 年初版
原價（港幣）	$78

本書為「中國現代作家選集」系列，精選出周作人 85 篇具代表性的文章，有早期反封建禮教的雜文、後期沖淡溫婉的小品，另外收錄個人文集如《雨天的書》之序跋，讓讀者在豐饒內涵裡感受散文的魅力。

《吶喊》*

作者	魯迅
出版資料	香港：三聯書店（香港）有限公司，1999 年初版
原價（港幣）	$22

魯迅首本小說集，收入「三聯文庫」系列，榮獲第六屆中學生好書龍虎榜十本好書榮譽。

* 本書在 2020 年推出新版，請見 2020's。

《多雲有雨》

作者	劉以鬯
出版資料	香港：三聯書店（香港）有限公司，2003 年初版
原價（港幣）	$32

劉以鬯小說集，收入「三聯文庫」系列。本書共收錄 30 篇短篇小說，均為「實驗小說」，不按傳統寫法，頗見其寫作多年來的用心、思考和不倦的探索。

《也斯的香港》 *

作者	也斯
出版資料	香港：三聯書店（香港）有限公司，2005 年初版
原價（港幣）	$65

也斯圖文集，收錄 34 篇文章，折射出也斯心中的香港風景。除了刻劃城市多元物象，亦特寫一些典型與不典型的人物和地方，搭配其攝影圖像，使書中的香港極富現代感。

* 本書在 2022 年推出新版，請見 2020's。

《Footnotes》 *

作者	唐睿
出版資料	香港：三聯書店（香港）有限公司，2007 年初版
原價（港幣）	$75

唐睿首本小說著作，入選「第一屆年輕作家創作獎」，其後勇奪第十屆香港中文文學雙年獎小說組雙年獎。

* 本書在 2021 年推出新版。

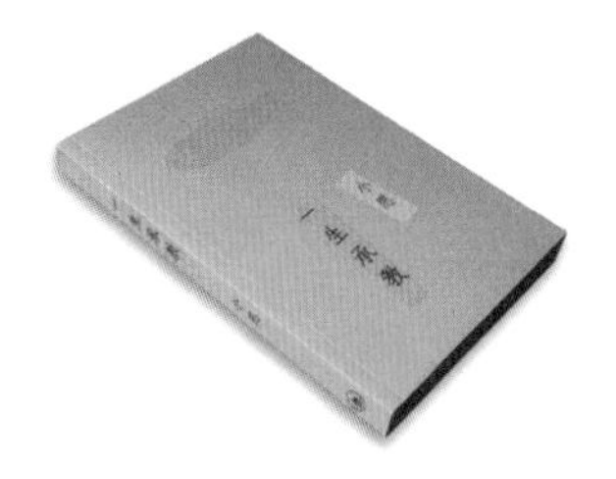

《一生承教》

作者	小思
出版資料	香港：三聯書店（香港）有限公司，2007 年初版
原價（港幣）	$58

小思散文集，收錄文章取材自其老師的言傳身教、日本回憶和平日所得的體會感悟，更包含其對教育的理解與思考。

《明清之際的思想與言說》

作者	趙園
出版資料	香港：三聯書店（香港）有限公司，2008 年初版
原價（港幣）	$68

「三聯人文書系」叢書，收錄趙園 4 篇研究明清之際士大夫的學術論文，試從不同角度探討他們在暴政和國亡之下如何自處、興起「談兵」之風、以「遺民」身份守節，讓讀者了解這段極具危機感的歷史。

《縫熊志》

作者	西西
出版資料	香港：三聯書店（香港）有限公司，2009 年初版
原價（港幣）	$88

自西西患癌後，除了寫作，縫製毛熊成為其訓練右手的成果。本書由內到外，從毛熊的衣著盛載著中華文化底蘊。2009 年榮獲第三屆香港書獎。

《穿 Kenzo 的女人》（盒裝）*

作者	錢瑪莉（鄧小宇）
出版資料	香港：三聯書店（香港）有限公司，2010 年初版
原價（港幣）	$138

小說原連載於《號外》雜誌，以敘述者張瑪莉角度撰寫的日記體作品，向讀者示範作為新女性何以享受物質生活中，同時追趕業績和追求愛情。小說經博益出版多年後，再增補文字和插圖，輯成完整本。

* 本書在 2021 年推出新版。

《失去的愛情》（影印版）

作者	劉以鬯
出版資料	香港：三聯書店（香港）有限公司，2018 年初版 （原版）上海：桐葉書店，1949 年初版
原價（港幣）	正式版：$78 限量版：$118 原版：$0.5

2018 年 6 月，劉以鬯離世不久，以重印其首本小說《失去的愛情》作為紀念。每本附贈藏書票，另外特設 100 本蓋有作者真跡印章的限量版，旋即售罄。

《隱山之人 *In Situ*：短篇小說集》

作者	葉曉文
出版資料	香港：P. Plus Ltd.， 2019 年初版
原價（港幣）	$118

葉曉文小說集，收錄 4 篇作品，其中同名新篇構築出引人入勝的山中世界，從而介紹 46 個香港動植物品種，並繪製成圖鑑，給讀者欣賞這目不暇給的自然境地。

《吶喊》

作者	魯迅
出版資料	香港：三聯書店（香港）有限公司，2020 年初版
原價（港幣）	$45

新版「三聯文庫」系列之第一本，特設本地中文科名師撰寫之導讀文章，供學生了解作者與作品特色。

《葉靈鳳日記》

作者	葉靈鳳著、盧瑋鑾策劃、張詠梅注
出版資料	香港：三聯書店（香港）有限公司，2020 年初版
原價（港幣）	$598

本書收錄葉氏自 1943 年至 1974 年存世日記內容，由盧瑋鑾老師（小思）撰寫箋語、張詠梅博士負責注釋，提供解讀日記以至葉氏自身的向度。

《昨天喝了河豚湯》

作者	米哈
出版資料	香港：P. Plus Ltd.，2021 年初版
原價（港幣）	$108

本書通過 50 位外國作家的生平事跡，結合作者閱讀各人名作時的體悟，凝聚出 50 種人生啟示，供讀者參考。

《也斯的香港》(增訂版)

作者	也斯
出版資料	香港：三聯書店（香港）有限公司，2022 年初版
原價（港幣）	$88

增訂版新增 5 篇文章：〈與台灣作家漫步元朗舊墟〉、〈科技大學的展覽〉、〈都市風景〉、〈說故事的人：海辛〉和〈天水圍與西新界故事〉，補充也斯對香港人、事、物的情感細節和理解。

《向水屋筆語》(增訂注釋版)(二冊)

作者	侶倫著、張詠梅注
出版資料	香港：三聯書店（香港）有限公司，2023 年初版
原價（港幣）	$398

本書盡量收錄同名專欄所有文章，以年份順序劃分內容。除了保留初版篇章，另外收錄部分文集序跋，從而窺探侶倫寫作的心路歷程。本書特邀張詠梅博士詳加注釋，為重要地名、人物、文學和電影作品等提供參考資料，供予讀者進一步探究。

自序：跨越的收穫與代價

會對這本書有興趣的讀者，很有可能是在電視或電台上看過我節目的人。你可能會看過我主持的：例如香港電台電視連續播放了五年、超過 120 集的「歷史係咁話」，到韓國實地拍攝的學術文化旅遊節目「韓國乾坤四維遊」，訪問過眾多香港史研究者的「香港歷史系列：歷史說香港」。或是你可能在香港電台曾經聽過，已經超過 15 年的「古今風雲人物」，還是超過 110 集、講世界建築風格與歷史的「建築意」，還有每天閱讀一本書的「一分鐘閱讀」。或是你竟然有聽過，我專為小朋友所寫，自編自導自演的穿越歷史廣播劇「好孩子星期天：時空遊歷團」。又或是在網上看過香港文學館的網上節目「藝文在線等」。我一向追求能成為多面向的文字工作者，我不希望當我教書時侃侃而談，但沒有真正的實戰經驗。所以為「吾土吾情」寫旁白，學術支援「香港歷史系列 IV」，編輯《郭鶴年自傳》，聲演康文署「文學 101：三十六計」。一直覺得文字工作的能力必須經過實戰才能發育，有受眾，有編輯，有考驗，有批評的寫作環境，才會有進步。我到這一刻，還是自覺以把握學習機會的心態寫作文章、參與製作，也一直慶幸得到各方給我學習的機會。

最為幸運的是，多年來能在不同節目和出色的拍檔合作，他們總能有「閃光」的瞬間令我興奮；我雖是個自信的人，能有這麼多出色的戰友在我身邊，「無友不如己者」，是我最感自豪的地方。本書的篇章，都是和師友們思想交流下的成果，沒有了戰友，我也沒有動力寫下這麼多。因我沒有任何社交媒體，很少有機會與我的讀者觀眾直接交流，所以先來上文「自報家門」相認。在此也感謝喜歡我的讀者，敬重你對人文學術的興趣。本書所收的文章偏重文學與歷史；我教研相關寫作較多有關文學的文字，與節目上對歷史文化的側重有所不同，希望能給你有新發現。

我還記得，在寫當時香港唯一正在播放、連載超過兩年、超過十五萬字的廣播劇——「時空遊歷團」時，有人質問我有何資格自稱「有創作」。辯解並不是我的強項，這樣做很浪費時間，而相比起「作者」，我也的確更重視自己「讀者」的身份；我也別無什麼異稟，唯一自信就是閱讀吧。也斯是我的老師，別笑我，年輕時我當然尚有超越老師的想法，但當時已清楚知道，在寫作上鐵定是全無可能性。不過也斯既然教我要跨學科，那我就盡情跨越吧，跨到歷史、藝術、建築、歌詞、動漫，跨到不同廣播媒介，把所有知識像網一般連起來，一開始難免千瘡百孔，但相信一直求索，把各門知識紋織起來，現在總有些畫面吧。

人文學術文學歷史本來就是一家，分門別類過去是為了教學方便，配合流水作業大量生產勞動力。但把慣習的簡化說成是專攻，把博雅說成是雜亂，是把既成現實說成是真理，是扭曲了對人文素養追求的方向；不過在香港如不「面對現實」，「不務正業」博覽，對功名自然也無所益，這於我：是為代價亦為職志。人文學科向來在香港不受重視，所以當有機會參與各類文化活動，結交在各媒介上的文史園地，能守護自然義不容辭。許子東老師是我的博士指導，我還在本科時就已經追選他所有任教科目，碩士時有繼續旁聽他的課，後來我不論講課或是做節目，得益於子東老師最多，而他也是中國知識清談節目的奠基者。老師們的一代是尚有文壇、文藝圈觀念的一代，工作教研以外，也會重視公共空間中互信溝通的重要性。

我一直沒有打算把文章結集成書出版，想來主要是性格使然，並沒有追求「影響力」的欲望，也沒有文章傳世的想法。但近一兩年想想還是應該出版的。張偉國教授是我「古今風雲人物」的節目拍檔，他帶我進入公共廣播的世界，也是我的業師，很幸運在我學術之路上得他指點。張公史學追求嚴格，方法學重視事實與證據去構築歷史事件，而並非以空想或個人意願去解釋世界。他否定單以想像作立論，唯心的方式去作為判斷好壞依據的論說。判斷歷史，重視「現實情況」、「形勢強弱」、「可行性與機率」，而非以「好惡」作為判斷的根據。他早年專攻制度史，教我看：所謂制度是為了當時的人、解決當下的實際問題提出的解決方案。制度是死的，也沒有所謂的完美制度，但人物是活的，「人」才是了解制度的核心。以上種種，都是張公卓見；慶幸得張公指導，使我建立了不以「空想」為是的價值觀；也堅信公共廣播、或是公共寫作，是發挖知識中的趣味的地方，而非宣洩情緒的場所。要如何避免「空想」，或是從事實出發？閱讀還是最為關鍵。我還是應該把有關文史的文章結集出版的，你相信我的選書嗎？我想我應該與大家分享我的閱讀體驗，當然我還是會懷疑文字對善導人心有多少功效，但還是要做該做的事。最少通過介紹書籍，去記錄下那些優秀書本作者充滿智慧的經驗，或是那些人們值得紀念的素質。在現在這個資訊過度溝通，社交媒介佔據所有關注，擺弄人們情緒的社會，留下人文學術該有的位置。

並以此書

感謝我的戰友。

感謝曾經鼓勵和幫助我的前輩們。

感謝合作過的編輯、監製、策展、導演、編導們。感謝那些和我合作過，在各機關默默把事情做好，同時又愛好文藝、支持文藝的人。

謝謝我那些可愛的學生，能教書真好。

謝謝喜歡聽／看曾卓然節目的你，買書吧，能賣光就再出一本。

是為序。

目錄

文藝與視界

歷史與世情

文學與鄉情

01 說也斯散文的軌跡

——《也斯的散文藝術・編後記》

《也斯的散文藝術》（2015）一書目前的評論編排力求平衡歷史性和與散文相關的各個主題，呈現也斯在不同階段對散文藝術追求的不同重點。也斯曾接受非常多的訪問，留下不少有價值的討論和對話，不過集中在散文藝術上的則不算多，訪問一輯中舒非的長篇訪問是其中最詳盡深入的。在訪問中，也斯談及他開始寫作散文的原因，話題涵括也斯七〇年代至當時正在創作的散文，析述他在不同時期，創作切入點的異同，不時提及詩、散文、小說在他的創作中互相滲透和影響。總論部分則有討論也斯總體散文面貌的文章，亦有集中討論也斯談文論藝的散文。陳素怡的〈人文對話〉一文回歸也斯的總體成就，分別討論到也斯在散文、詩、小說和其他文藝中的成就，然其文章所提到的也斯文學上的多元面向，在散文藝術上同樣有所展現。而台灣學者應鳳凰在〈香港文學傳播台灣模式〉中，以也斯為例說明香港文學以限量生產與「藝術取勝」的模式傳入台灣的情況，顯示了也斯在台灣文學中產生過不可忽略的影響和他的重要性。對也斯散文好奇之讀者可參考此輯文章步步進入其散文藝術之堂奧。

從初出道「灰鴿試飛」的文藝斷想與關注社區街巷開

始，早期不少台灣論者點出也斯散文的清新獨特，如林柏燕形容的「自然優雅、風格新穎」，是也斯早期少作相對於那些無病呻吟、濫套俗語的散文惹人注目的原因。此外，林柏燕指「也斯能夠注意一本『無人理會的書』，一場沒人欣賞的電影。具有藝術家的獨步意識，因此，對於人與人的溝通，文字與文字間的溝通，格外敏銳」。這種不盲目隨俗的態度，是也斯在往後散文創作中始終堅持的。也斯的散文啟發了不少熱愛文藝的人，黃寶蓮作為見證者，道出了也斯早年的作品在台灣的暢銷程度和影響力。她說「我們摸索著成長學習，閱讀那些晦澀難懂的翻譯文學，讀著別人和自己格格不入的心情，勉強咀嚼那些晦澀艱深的術語。也斯卻能直截閱讀原文，消化吸收之後，轉換成引人的文字，給當時愛好文學藝術的年輕人指引、啟示，為當時的文學打開一扇窗，那時資訊不如今天上網就跟世界掛鈎接軌，也斯成為資訊的橋樑」，印證了也斯在文藝創作和品味上的超前。而葉輝、廖偉棠的評論分別指出《灰鴿早晨的話》(2013）展示也斯藝術上「與」的美學觀念，和這本散文集在也斯整體散文創作中的意義。葉輝說也斯「他總是不甘心將自己的想法規限於一個書寫的對象，總是嘗試用一個『與』字或一個『和』字，把表面上不相干的事物、感情、生活細節交織出充滿好奇心和想像力的新感性」，並提示讀者，也斯選擇去翻譯的外國文學中便體現了他的散文美學。廖偉棠一文則說明了也斯在六〇、七〇年代的經歷，如何影響和啟發也斯早年的散文創作。他舉出《灰鴿早晨的話》中的〈歌與餡餅〉

為例，認為這篇文章透露了也斯異於同代人單純激進的那種成熟。我們可以理解到《灰鴿早晨的話》是年青也斯閱讀大量優秀文學、藝術和電影，結合他對自身社會的反思而創作出來的成果。

第四輯「山水人物」比較全面的展示了七〇年代末到九〇年代閱讀也斯本土散文的方法。這時期的也斯繼續創作如〈書與街道〉般的城市風景，還寫了很多有關香港山水的遊記，一方面延續在《灰鴿早晨的話》中清新的文風，同一時間亦把他的人文關注和山水風貌寫作結合。他與文友健行新界山村野嶺，身體力行，不斷探索香港。在《神話午餐》（1978）、《山水人物》（1981）和《山光水影》（1985）幾本散文集中，我們可以見到也斯著眼於郊野和離島的風光，一方面既是為美景而感觸，另一方面也洞悉了這些地方將逐漸消逝，而提筆用文字做記錄。現在讀來，就更覺得這些文字的珍貴。

也斯的人物描寫常是評論的重點。在遣詞用字方面，從《灰鴿早晨的話》開始，也斯已在創作中撇去約定俗成的熟語。也斯為筆下人物自創各式新的比喻，以細緻具體形象化的「印象」描寫。另一方面，評論強調也斯的選材獨特，葉輝、黎海華的評論中也不忘提到也斯在《山水人物》前記中說的「存心留神」。也斯以「日常生活」、「平凡」、「普通」的人事為對象，卻寫出「不平凡」的一面，這種對身邊人事的觀測入微，和思想角度，正是讓讀者驚喜和感悟的地方。迅清評《神話午餐》和西西評《灰鴿早晨的話》一樣，以「散步」形容閱讀也斯的散文，形象化地點出了也斯散文的風格特色，又指「也斯從最樸實的文字出發，告訴我們平凡瑣碎的東西，在現實的生活裡，就好像喝一杯溫熱的茶那樣親切和平淡了」。

從《灰鴿早晨的話》、《神話午餐》到《山水人物》、《山光水影》，也斯散文的視野正一步步開展，木華不忘點出也斯寫作散文的轉變：「他早期的作品清新不羈，充滿了天馬行空的想像，帶一點浪漫情調，帶一點幽默感，智慧的閃耀裡有令人回味的餘地。這逐漸發展成一種質樸明淨的風格，所寫的題材擴闊了，感情卻潛藏起來，要深沉而不要顯露。他自始就不喜歡傷感、激情、廉價的詩意、堆砌的詞藻，他的文字樸素，不帶濫情濫調，令我們對世界的人事，端正地重新注視，看出許多流行意見歪曲了真像。」另一方面，木華和迅清特別地指出也斯散文中知性和感性的融和。在寫人記事的文章裡，這種特色展現成樸實無華的文字。而在談文說藝的散文裡，也斯既能做到評析所要求的客觀思考，亦同時保持散文藝術對個性靈氣的追求，更顯得獨特難尋。

第五輯「都市文化」更多地談及也斯的談文說藝和文化評論的散文。也斯在創作「山水人物」一類散文的時候，同時不斷創作文藝批評，這些文章結集成《書與城市》（1985）。葉輝的評論指「這本書的靈感源自中外書刊，卻不是停滯在書刊內容的層面，而是設身處地的從城市的多元文化和混雜現象作為起點，結合書刊的文字世界進行探索思考」，並為每個章節做了詳盡的介紹，又舉列不同篇章，具體地點出《書與城市》的風格特色。他提到書中文章的寫作時間差距達十七年，期間也斯從校園走出社會，再到美國攻讀博士，種種經歷和變化，大概都不免反映在文字裡，但這本書的觀點——「通過中外文化的省思，對文學藝術進行探索的觀點，卻是貫徹的。」

我們可以參照張灼祥《開卷樂》的訪談加深了解也斯寫作文藝評論的藝術取向，也斯說「我認為文學評論並不是賣弄文學名辭，也可以看成一種創作」。至八〇年代後期，也斯開始大量寫作討論香港文化的散文評論，最後結集成《香港文化》（1995）、《越界書簡》（1996）和《香港文化空間與文學》（1996）。從諸位的評論可理解到也斯對香港文化析述，都從具體實際的例子去討論，並不搬演理論和術語。艾曉明指出了也斯在《香港文化》中以怎樣的立足點去做論述，她認為「強調香港文化從一種混雜的背景中發展出來，是也斯的一個論述前提，他因此反對給香港任何一種簡單的概念界定，反對以『孤立的、單向的、平面的方法去了解』香港」，並指此書的優點「首先是，在每個專題內都集中了對具體的香港文化現象的分析，涉及和包括了許多藝術家的工作和正在進行中的藝術活動，這種具體性也許正體現了作者從事文化研究的方法：不太硬套時髦的理論概念，從香港的實際處境出發，思考香港的文化狀態、問題所在」。而李萬評《香港文化空間與文學》時則認為「也斯不但通過現代詩的發展闡釋文學在香港這片文化空間所佔的位置，他也透過對散文和小說的評論，把香港的創作環境和由此衍生的作品放在評論的空間中，讓人感受到香港創作環境的特殊性如何影響了香港文學作品的生存空間和存在形態」。從上述評論中，我們可以了解到也斯的文化評論如何致力於釐清香港文學與文化紊亂局面，既不脫離歷史，也不漠視現實例子。

「越界書簡　文化旅遊」為也斯一步步發展出來的寫作觀念。若說也斯早期文章是因對美好風光和人事有所感觸而動筆，此後的遊記則是更有意為之的文化省思。看重新收編也斯七〇年代台灣之行所寫的散文再出版的《新果自然來》（2002），就更清晰見得這種想法的深化。在出版時間稍早的《昆明的紅嘴鷗》（1991）序中，也斯便提到「我過去也寫過山水人物，寫過作家與作品，但這一次好像特別圍繞一個中心，寫的時間比較集中，在寫過程中有一個朦朧的『書』的觀念逐漸成形，不自覺地從不同角度探討幾個問題」，逐步去建立寫作遊記的取向。

王仁芸評《越界書簡》時指也斯的散文同時是「物理上」、「文化上」和「文類上」的越界。「他敏感地認識到各種文類所描述的現象和觀念，在今日世界裡，其實是相互傳遞相互影響的，換句話說，是『本文互涉』的。面對這種種複雜性，純抒情的散文也許已經不是最好的載體，而在散文裡包容其他文類的成分，卻可能是值得嘗試的方向。」這和也斯寫作談文說藝的散文是一脈相承的。但也斯此時已不單是注意「無人理會」的冷門地點，他也踏進旅遊區，不再像以往般抗拒，然而他寫的不只是風景，「還處處留心當地政治、經濟、文學、藝術方面的面貌，一面吸收新鮮的觀念，一面與自己熟悉的觀念比較」，「作者敏感地察覺到『地方』與自己所來自的地方的種種文化差異。用開放的態度觀看這些差異，同時調整自己的觀點」。

關於也斯的「文化旅遊」，黃淑嫻點出《新果自然來》的人文氣息，有別於資訊式的旅遊天書或觀光遊記。陳炳良評《在柏林走路》（2002）和《越界的月亮》（2000）時，則展示也斯如何把文化的思考融入遊記的風景中。蕭欣浩注意到少有討論的也斯日本之行，為也斯研究提供新方向。另外，王仁芸、陳建忠分別中提到了「游」或「遊」是也斯散文中的一個重要概念。王仁芸側重於「去中心」這層意義，指出也斯擺脫成見，「不停游移，轉換觀點，反覆比較」。而陳建忠說的則是不追隨世俗的「浪遊」，他在文末總結「在浪遊裡，也斯得以深入台灣的社會底層，進入台灣自然山水的深處，用他的人文視野、開放的心靈，為港台讀者，也為他自己，重新發掘出自然與萬物所能給予遊者的啟示」，而最終體現出「回歸」的姿態，「回歸到民間與本土生活，建立起香港文學自己的信念」。曾卓然在探討香港作家的中國遊記散文時，也討論過也斯在面對種種政治因素拘束之中，怎樣去追求和書寫超脫自由的「遊」，並以遊記道出旅程中目睹的風光後，隱藏的深厚歷史。

「香港映象　人間滋味」一輯收入了《也斯的香港》（2005）和《人間滋味》（2011）的評論。舒非為《也斯的香港》所撰的序言中，交代了此書出版的緣起，指出也斯多年來一直關心不同媒介如何描寫和再現香港，最不能忍受有些外來者，對香港一知半解，卻「扮專家」寫香港，這很容易變成獵奇式的浮光掠影，以為香港就只有花花世界、紙醉金迷。《也斯的香港》以順時序的方式收錄了多年來也斯書寫香港的文章，由早年的〈書與街道〉至出版前不久書寫的新作。舒非、馬傑偉、黃仲鳴均不約而同地讚美也斯為文化人留下的文字塑像。舒非指「也斯寫人，很看重兩點：一是他們對香港文學或文化的貢獻；二是他們的『現代性』」。在書中收入了多篇書寫香港作家、藝術家、學者的散文，顯示對抗指控香港是文化沙漠的聲音。馬偉傑指出《也斯的香港》雖出版在「懷舊回憶滿街都是，每個人都在想當年」之時，卻「絲毫沒有那些信口開河的懷舊貨品。讀下去，昔日如同重新再遇上的新知」。他的話既屬個人感受，同時透露出也斯的散文不濫情、真摯的魅力。而黃仲鳴不忘強調這是「一本文字與影像結合的書」，是也斯「左攝右影的一部分成績」。

《人間滋味》收錄了也斯談飲食的散文。也斯在序中說年輕時拒絕了一份晚報約寫飲食專欄，而選擇寫影評，現在卻不介意以食物為題材，發展成書，這表現出也斯變得更平易寬和的態度，而減少了年輕的一份擇善固執。然而也斯以食物入題並不是新近的事。早年以飲食作評論切入點寫〈夜行貨車裡的「食」〉，系統地創作食物詩，也斯展示也對食物與文化的興趣。既然評論可以像散文般寫作，為什麼飲食專欄就得一定是商業消費味道濃厚的餐廳推介？張璐詩的一篇細述了也斯的成長背景和創作的關係，清晰地點出了也斯創作的發展脈絡，及也斯寫作各個範疇的原動力，也提到了「食物」在也斯創作中的重要性。曹疏影和羅銘宇以訪談的方式，讓我們了解到《人間滋味》的成書過程和也斯寫作這些文章時的一些理念。也斯寫出了菜式、食材、餐館後的故事，亦有從「飲食」開展，寫關於文學文化，或是記人記事的文字。他也既談「飲食」也談「人」，兩者的關係並非主次、先後之分，而是食物和人情的環環相扣。引也斯自己的話，就更明白了：「日常生活裡處處都是素材。正如食材，靈感來了，看可以煮成什麼菜？有些寫情的變成詩，想寫人物比較複雜的就發展成小說了！」

本書雖為我主編的評論選集，但評選過程由始至終皆在也斯的參與、幫助及指導下進行。誰在編誰在選，在學術史上有莫大之分別，輕忽不得，請各位讀者容我結合時空背景，慢慢說清楚，也記錄這一段恩師與我的情誼。

近年一直有收集整理也斯的評論資料，後來也斯找來同樣早有志於此的陳素怡和我一起編輯小說與散文的評論選集。初時所整理的資料已見規模，惟未知有沒有機會出版，後來有幸得林曼叔先生答應出版，不過因小說散文的評論資料豐富，共達四十萬字，要一次出版有實際困難。只好讓小說和散文部分分開出版，先讓小說選出版完成。以下為當時其中一封電郵，記錄了也斯對學生的幫助和鼓勵，如何鼓動我的意志一步步完成此事。

卓然：

你說得對，但做起來可能大工程。我們先逐步編好散文評論，能做多少做多少，一邊遇到資料可以記下作篇目用。

林曼叔方面，出版因字數太多一分寫二。希望這次小說是素怡多負責，下次散文由你主要負責，素怡協助。編輯工作不少，希望你不怕煩。

因了字數限制，有些文章亦只好割愛或節錄。又請素怡在小序中交代歷史背景及補充註明相關但未及收入的文稿，現都做出來了。把小說資料目錄及小序傳上給你，供你編散文資料時參考。

散文較小說後出，也可把新出的數本散文集（《人間滋味》、《也斯看香港》）等的評論收在內。花城出「看香港」一書在中山圖書館辦了一場發佈會，南方都市報似有訪問，可上網查看。

也斯

2011／7／26

文學在香港本已經長期被忽視，香港文學位置更是邊緣，而香港散文之研究，更是暗影照不到的角落。我近幾年一直寫散文的評論和論文，博士研究題目亦是散文，對此心中約略有數。當時我覺得散文小說部分一旦分開，散文評論出版恐怕不能成事。加上當時也斯身體不太好，要接受化療，我拿了一些雲芝丸，找了做中藥公司的員工向也斯介紹服用方法和雲芝的作用，希望減輕藥物的副作用。其時我內心頹唐。

卓然，你好！

化療雖有起伏，但基本還有進展。通常第三星期狀態恢復得最好。下星期若有空，可找一天下午過來聊聊，也可談談網頁和散文評論資料的出版事宜！

祝新年進步！

也斯

2012／1／6

化療不好受，但當也斯好了一點就會找我繼續編輯工作。出版一事亦漸次有了轉機。那天也斯找了舒非下午在北角翠苑甜品談談，當日我準備好評論選的目錄，看著兩位很好的編輯和散文家在談日常。幸得舒非的推介，評論選的出版又有了眉目。我們進行進一步的工作，就篇目再重新修訂，改過很多個版本，也斯第一本散文集《灰鴿早晨的話》重印和《人間滋味》出版後，加入了不少有質素的評論。

大致不錯。你覺得第一輯好不好分成「書與生活」（專收「灰鴿」及「山光水影」類評論）及「都市文化」（專收「書與城市」、「香港文化」類評論），後面有適合文章亦歸類。這樣會不會眉目清楚一點？

再談！

也斯

2012／5／28

如葉輝老師和陳智德老師在介紹也斯生平成就時所言，也斯除了是作家、教授，亦是一位很出色和很有貢獻的文學編輯。每次寫文章有說得不夠清楚的地方，也斯都能夠在最關鍵的地方，用最少的改動，一新面貌。那一天在早上銅鑼灣的一間咖啡店，也斯慢慢向我解釋，把我兩個版本的目錄合而為一，把一些項目結合改換，把我不知如何安放的文章放在最合理的位置，就如它們本就住在那裡一樣。現在只要我一定神，那早上的陽光就會越過咖啡店落地玻璃而來，那智慧那溫暖還在心中流動。也斯離開了，編選過程本來還會變動的東西，因為他的離去而固定下來。我決心保留也斯親手所定的篇目，雖然我們都知道如果也斯還在，很可能會有更具視野的編排，望各方讀者能夠理解。

在編選本書的過程，得到吳煦斌女士的支持和鼓勵，陳國球教授賜贈序言，並獲劉燕萍教授、陳素怡女士、鄭政恆先生的幫忙，謹此致謝。此書編成，有賴三聯書店幾位新舊編輯舒非、梁偉基、林澧珊、程豐餘、趙江等人的包容和支持，我為此心懷感激。在編校過程中，亦得公開大學中文系師生張優勝、黃莉莉、張麗嫻、李綺靈、吳廣泰、張麗儀、羅正恩、梁穎琳等耐心幫忙校核，查考資料，共同努力。很希望此一評論選，能幫助讀者更好地欣賞散文藝術之美吧！

02 讀《也斯看香港》

我怎樣也想不起見面的地點是哪裡？是尖沙咀美麗華還是銅鑼灣食街？也許把場景換成2007年未裝修的三聖邨興記，你會健康一點酒喝得暢快些。記得我告訴你我寫了一篇書評，說到香港作者常把散文當成副業，出書像開紅van一樣滿客就走，很少細心編書、每本新書都有焦點有主題視野的散文作者。你只說出書時不喜歡重複自己，不過有時現實也有很多限制。我剛從山西回來，我說看到晉文化的古文物非常精彩。可惜古城全變成旅遊區。說下一年到內蒙古我一定要拉隊和你去。到了夏天，你的病情反覆，我知道。能去的、能去的，我寧願抱著和你同遊內蒙古的希望。談到大江健三郎《優美的安娜貝爾‧李　寒徹顫慄早逝去》（2007）。年紀大，拿了獎還寫得這麼好。我們都很欣賞他借用小說這形式評說並改寫愛倫坡的作品，用獨特的方式展開小說。你就說文藝批評其實可以在任何形式中進行。接著你就把《也斯看香港》（2011）拿出來給我，我說給我簽個名玩玩。哈哈，也好。那時我們在編你的散文評論選輯。你最愛詩。但我說你是現代中文文學中非常重要的散文家，別偏心。你說等灰鴿出來就會有更多的評論放入文集中。但要小心字數。《也斯看香港》文章我都看過，就放於架上。

到你走了，我翻你的書，才接應到你在回應我有關散文的話題。

《也斯看香港》不是《也斯的香港》簡體版。你又一次施展舊瓶新酒的編輯技法。34 篇中有 11 篇是不同的。更換了文章、重新編訂題目，要說的事情就更清楚了。分為五章：港九、新界、衣食、住行、人文。市中心、中環、旺角，內地人都知道，「港九」一章你只加了一篇〈朗豪坊與砵蘭街〉進去，卻是直接批評一位廣州導演簡化拍攝砵蘭街的文章。目錄上的照片明明是曾志偉和好像很親和的月餅，但到真的吃到內文才發現不是那麼隨俗易消化。我又見到你頑童一般的眼神和笑容。是嘻嘻不是哈哈。「新界」被凸顯出來，告訴內地，在這島的北邊有很好的生態和自然。這章你加上了《山水人物》中的〈大澳的夜〉和〈吉澳的雲〉，吉澳就在沙頭角打鼓嶺旁邊。你在這 2011 年的書中讚美新界，還拖著病體和劉克襄一起帶同學欣賞行走書寫新界。文字有很多種。「新界東北發展計劃是香港政府諮詢中的土地發展計劃，內容為將古洞、粉嶺北和坪輋 / 打鼓嶺的農地劃出為新界東北新發展區。」你很多時不一定把憤怒表現出來，原因是香港太多問題在你的文學上其實已經預言了。現實追上文學。「這些碎片在他面前堆疊到天際，我們所稱的進步就是這一場風暴。」（2005 年在嶺南大學的「本雅明 —— 亞洲對話」研討會，海外學者介紹你出場時驚訝你著述之豐，我一個聽眾在牆邊坐著忍耐猶太學者的口音，會後你友善的和我談本雅明，提到馬國明在香港介紹

《班雅明》[1998] 的功勞。）

「衣食」一章中你不重複自己，沒有多選後來更受注目而其實同在 2011 年 5 月出版的《人間滋味》的文章，只選了一篇〈亦能食素〉。文章既提到內地知名的蔡瀾，又提到中環的樂茶軒和志蓮淨院，又提到「過去是魚米之鄉、現在看來已發展成新市鎮的元朗，原來還是有蔬菜瓜果出產的」。你一定是覺得這文章對內地讀者應既熟悉又陌生，當中的豐富和不穩定，最適合對話和商量，提醒讀者去接觸一個他們未曾見過的，聲色之娛中有著青綠與甘甜的世界。

你在「住行」一章加上原收在《街巷人物》（2002）的〈生活在馬路上的人們〉，我不意外。是你拉隊叫我們學生看有關書寫香港城市的電影，鼓勵我研究租住空間寫文學電影中的板間房。你知道要不煽情去書寫香港的低下層的困難和必要。文章寫在 1977 年你 28 歲之年，但數十年後的今天，這些在街上朝不保夕的人還在。你把香港這一面給內地看，也是在說明每個人的生活都有他的難處，任何一種以貌取人都是危險的吧。

你最重視的還是人。你把寫張愛玲、王家衛的文章加了進去，似乎都是受內地注意的作者。但同時你又加了寫許鞍華和劉以鬯的文章，還有心提到袁兆昌和其他新一代。好像提醒我們不要偏食，既重視色香味覺又不忘營養均衡。

你會怪我現在才把書評寫出來嗎？我知你常告訴我香港太少書評是希望我多寫。不急的，不一定要趕熱鬧，要想清楚才下筆，要耐得住寂寞，你說。人事真的很苦惱，我想。不要放棄，要耐心，我信你，你說。你都早知道。

《也斯看香港》希望外來者看到一個比較全面的香港，《也斯的香港》則帶領我們看到日常香港人注意不到的一面。那些在編《也斯看香港》時，被抽起的文章不是寫得不好或不重要，全因那些文章更是家書而非講演，如〈加鹽的咖啡〉、〈古怪的大榕樹〉、〈與李家昇合作〉。〈小龍的童年〉那是一個太重要的記號，我不會輕易放過。——你坐在屯門青山居所的深紅木色桌前，重讀〈小龍的童年〉的書稿，發現文中有一些東西未開展過來，不是寫得不好，是有些話未有說完。你知道散文不是報紙上即朽的文字，你決定重寫。〈小龍與我〉寫出來了（2004 年 11 月 22 日），登在《香港文學》（2005 年 1 月）。〈小龍與我〉是你心中的香港的重要部分。你不是一個喜歡多談自己的人。情感應該隱藏。但太多私密的記憶，你不得不寫出來。你知道散文文體情感一覽無餘，最忌直露，但還是寫了出來。後來還見到有評論說到你的父子關係，你又摸摸頭笑了。都因〈小龍與我〉而來。其實，你是太多人心中的好父親，我說。

2013 年 1 月 23 日

03 也斯：作為評論人的老師

當我和也斯在三聖邨興記吃燒鵝、炒蜆、飲啤酒時，我從來沒有想過那會是我最後幾年能見到也斯的時光。所以在 2013 年 1 月那個冬天，當我們都已經知道他的病況的時候，我還是確信他會康復；我隨時可以再問教於他，我們還有時間一起完成更多工作。生命突然離開的猝不及防，令我一直徬徨至四年之後，父親面對同一類型的肺癌並在同樣陰冷的 1 月冬天離世。在這些年，我經常會閃回和也斯相處的各種時刻，有時會發現我人身旅途的各種前行腳步，都驚喜於有也斯老師的影響在當中。那些詞與物：越界、浮世、對話、往復、詠物、白粥、苦瓜、灰鴿、剪紙、雅枝竹、西新界、後殖民、煩惱娃娃、金必多湯、洋琴和結他、中午在鰂魚涌、北角汽車渡海碼頭，那些也斯贈予我們的句語，隨時空年月流轉，從無間斷出現在我的思考中。近兩年「浮世」默念心中以外，最多出現的，就是「面對死過很多次的中文」。

不記得是在什麼時候，第一次看〈面對死過很多次的中文〉，卻是也斯影印給我看的。這篇刊登在《文學世紀》的文章，是我經常在心默念標題的文章。每當我看到有不同的力量嘗試去控制我們應該怎樣講怎樣寫時，我又會在心中默念「面對死過很多次的中文」。

公眾空間的個人論說

這篇評論我認為是一篇也斯自覺要結合個人經歷與文藝評論的出色作品。也斯非常敏銳的把身處香港的數代香港人並置在一起，然後寫出他們落難失意、被損害或是不甘心的心靈。相對的就是也斯這種在香港土生土長的，對香港五〇年代文化環境感到不滿的一代。他運用個人家族經歷作例子，寫道：「我的外祖父是國民黨政府官員，在 1949 年政局變化時從廣東來到英國人統治下的香港。帶著傳統文人落難的退隱心情，他在港島南端經營了一個小小的農場採木瓜與石榴於東籬之下，悠然對著南塱山」，就把那種失意人物向文化傳統尋求慰藉的心態寫活了。也斯亦通過一次文革回鄉探親之旅的見聞，表達：「我對標語式的中文，不管破碎或是完整，都難以感到它們有自己的生命。中文的文字已死過許多次，難保不會再度被人在它額上貼上符咒，哀悼它的死亡。」寫到九〇年代寫作：「在今日的香港使用中文，往往更得冒著在商品化和政治化的潮流中出生入死的危險。商品化和政治化，都令文字趨向單調、想像變得枯萎。有許多文字和它引發的多層次的感情，逐步由於教育的忽略、出版的單元化，而逐步從我們的生活中消失了。」此段文字，在2020 年看就更加適用了。

對我來說這種在寫什麼之外，在怎麼寫怎樣鑄註文體，怎樣在評論中不避展示個人的角度和聲腔，一直是我受惠於也斯教導的重要信念。也斯在漫長的寫作生命中，這一點幾乎從來沒有改變。從早期的〈不欲教人仰首看〉，到論文〈公眾空間的個人論說〉，都不斷反覆強調公共空間的論說與學院書寫有所不同。我當然不會認為也斯這一觀點是獨一無二，今日再次思考，反而可能是因為五〇年代香港報紙副刊專欄百花齊放，各種文藝知識能夠並存，對也斯帶來啟發也說不定。

容我大膽論斷，如果大家都用標準劃一的方式，一模一樣地去寫文學評論，那麼文學雜誌或公眾評論雜誌，甚至報刊上的公眾文學評論就沒有了存在的基礎；因為我們只要把學術期刊作公眾發行就可以了；但顯然目前的香港文學評論的現狀並不如此。在網絡時代，其實香港不少人對香港文學與文學的關注是增加了，都有相當多的文學團體也發揮文學的推廣功能，也有線上線下合作發表與推廣的計劃在當中，這些都是在硬件上，現有香港文學做得不錯的地方。其實，面對公眾的評論，在現今的時代，可以說是前所未有的豐富，所謂的「評測」、「開箱」無日無之，大眾前所未有地追求對所有事物的解讀與解說，對文學的評論、解說、介紹，理應能在其中佔有一席之地，但我們對公共空間的評論應該「怎麼說」，還是有進一步思考的可能。

我想，也斯有關公眾空間的個人論說的觀點所以到今天還是非常有效的。當中一點非常重要的正是「不欲教人仰首看」，意思上公眾的文學評論與論文的分別，不在深刻與顯淺，而在於有沒有真正的去想清楚怎樣說話，怎樣在不同的文化空間，用最合適的聲腔去面對讀者。從前和也斯閒談，我們經常會討論到不同的文學雜誌與團體取態上細微的分別，或不同報紙副刊觀眾可能的趣味不同，然後對寫作的方法有一定的調整，但卻又要能夠繼續保持自己的風格。這在現在社群媒體的時代，我相信更是各文學評論人都應該思考的課題。

越界與對話

也斯影響我一生的，是對「越界」與「對話」的良善堅持，有關也斯喜歡「對話」的特點，陳素怡的〈人文對話〉（收於《也斯的散文藝術》）曾經作了很好的概括。對我來說也斯在我學習時經常肯定「通才」的重要，經常向我講述不少五〇、六〇年代甚至更早，在不同領域上都有所發揮的人文學者與作者，例如曹聚仁、桑簡流、劉以鬯等等（太多了）；並認為文學評論人經常未能全面評價一位作家的成就，因為論者經常全被文學研究的文類界限限制了視野。我當時當然知道也斯也正是一位難以被概括的文壇多面手，眾多香港文學的範疇都有他的影響在。也斯的跨文化、跨學科、跨文類的視野，也是我一直心所嚮往的境界（我認為也斯是一位）。這一點正影響了我，嘗試把學術關懷由文學延伸至歷史與文化。在我在不同的媒介如電台、電視、文字、學術研究、大學教育、編輯出版與文學團體，去推動社會對人文學科的關懷時。也斯老師的身影始終都在，因為這些東西，也斯全都做過，也都是也斯教我怎樣立志完成的。回想也斯身為「一位詩人、一位小說家、一位散文家、一位講座教授」以外，做了如此之多人文學術的公眾「知識轉移」，我年齡日增，對他意志與體力的敬佩更是有增無減。

也斯經常告訴我跨學科不容易，別人可能會防避。寫一篇電影評論欣賞電影，對方也可能不領情。跨文化不能懷有太強的主觀、要從別人的文化角度去看事物。旅行也不一定安全，會有各種的危險。也斯會告訴我用筆名寫作也要注意，使用筆名來創作，可以令你自由發揮，但筆名寫評論應保持應有的審慎。也斯是「苦瓜」也沒有錯，他把經驗傳達給我們，不少都是他親身所受過的「苦味」。慶幸我的年輕時代像海綿一般吸收的年紀，有一位這樣的「導師」，沒有教我邊界與陳規，卻教我職志與信念，並沒有阻止我叛逆與獨異，卻教我如何和大眾調適相處。

如你所見我那種傷痛還在。我們永遠有來不及完成的工作，遠去的人對浮世的巨大損失也不一定有人能繼承。但也斯作品的豐富、多彩，漫長的寫作時期各種不同的轉化，這份寶貴的遺產，永遠都值得繼續發掘。

04 曹聚仁與也斯散文中的中國

作家創作遊記時心態各種各樣，可以是感性的抒情，也可以對風土人情的觀察探索，或是借個人的聲腔來為政治或財團宣傳。我們可以先借一個較純粹的遊的觀點來討論問題，徐復觀在《中國藝術精神》（1966）中對「遊」這一觀念有所討論，他認為遊可以是一種精神、一種狀態，「遊」與精神上的「自由」關係密不可分。徐復觀申述「遊」的本義是「旌旗之流」，旌旗能「隨風飄蕩而無所繫縛，故引申為遊戲之遊」。徐復觀的推論，帶出了旅遊狀態的重點。

徐復觀點出理想的遊記創作狀態，無所拘束的「遊」和不受限制的「記」，不過這種狀態在現實上並不完全可能，完全不受政治影響的寫作空間一直很難存在。遊記散文經常直面現實，在書寫風土人情時作家實難以迴避政治對現實的影響。本文討論的香港寫的內地遊記，既希望書寫現實，不避政治，但同一時間又希望經營散文，保持自由出遊的精神狀態。作家可以怎樣平衡中國傳統那種超脫自由的「遊」和中國當代急速變遷的社會現實呢？知性和感性可以怎樣去調和？本文主要討論曹聚仁的《北行小語》（1957）及也斯的《昆明的除夕》（2002）兩部文化遊記，探討香港遊記散文中的中國形象，並討論香港作家如何在獨特的歷史空間中寫出帶有人文省思的文化遊記。

五〇年代曹聚仁的《北行小語》是書寫中國的文化遊記的顯例。在五〇年代的冷戰格局下，台灣與海外華人要直接到中國大陸幾乎是不可能的事。而香港因為特殊的政治環境，成為小數可以觀察中國的「窗口」。不過，這種觀察也會受政治影響。如在冷戰格局下的香港文學，有所謂由美元支持的「綠背文學」，支持作家寫作反共作品；同時亦有人抱持左翼理想，創作宣揚新中國美好一面的文學與電影。在這段歷史時期，香港對中國內地有相當多的想像、表述，有些會是妖魔化的，有時會是神秘化。不論如何，當時作家要書寫中國內地，就必然會面對種種政治的考量，作家在面對已有的種種論述，寫出的散文究竟是在加強那種既有的文化與政治想像，還是嘗試根據作家的所見所聞，寫出別一種面貌的中國？我們可借曹聚仁為例來思考這個課題。

曹聚仁可說甫到香港就身處左右對立的「戰場」中央。他在 1950 年 8 月中旬南來，到港一個星期，即在《星島日報》擔任主筆。他在報上發表一系列討論有關新中國的文章《南來篇》，主要評論新中國政治軍事等問題。在 9 月 4 日第一篇文章他就寫道「我從光明中來」，看似擁護新中國，但接著又說，「『既已從光明中住，又為什麼要到南方來呢？』這又使我惘然無以為答了」。接著曹聚仁的文章引起了香港左右兩派人士八百多篇文章攻擊，更有專書《與曹聚仁論戰》（1952）出版。他的觀點同時不合乎左派與右派的主流論述，曹聚仁面對政治左右對立，沒有迴避，更通過北行中國實地觀察，去寫他的「真實中國」。1954 年曹聚仁任新加坡《南洋商報》駐港記者，在 1956 年 7 月 1 日至 1958 年春夏這段期間，曹聚仁最少六次「北行」，寫成了《北行小語》（1957）、《北行二語》（1960）和《北行三語》（1960）等作品。

曹聚仁以記者身份到中國內地，在旅行以前，已有寫作遊記的打算。他認為當時有關中國內地的報導有不少是捕風捉影、帶有偏見的虛構。而作家心中所嚮往的，是要當一個「絕對不帶政治色彩，也不夾雜政黨利害關係」的書寫者，也自信所寫的東西「也許會錯誤，但決不歪曲事實」。作者認為當時有不少對新中國的描述有所偏頗，這些文章在作家看來，都是在政治的影響下扭曲的書寫，更可能是政治宣傳。面對上述的「中國印象」，曹聚仁在前詞中提出他在寫作《北行小語》中的核心想法，提出有關「真實」的問題。他認為寫《北行小語》，必須像「史家之筆」一樣，要求「與事實一致」的真實，不可以閉門造車。

其實所謂的「寫實」或追求「真實」，幾乎是所有文學藝術都常常宣稱的。「寫實」當然可以理解為對事物細節準確的表現和反映，同時也可以理解為對「社會不被人所注意的側面」的發現和表達。而所謂的「真實」，在意義上也可以與「表象」相對，可以指作家穿透事物的表象，直指「內在真實」。曹聚仁不斷在全書中強調他是一名「記者」，是指他希望不去摹寫花鳥蟲魚名勝山水或去寫新中國的表象。曹聚仁希望擺脫成見與公式，通過旅行與觀察，寫及五〇年代新中國的「真實」情形。曹聚仁一心書寫他的「真實中國」，是用怎樣的方法的呢？如果去寫遊山玩水，純粹的出遊，未必能看到今日中國的真實情形。去依從官方開出的路線圖，更有可能把作家帶往錯誤的終點。作者不希望書寫一個官方的中國，「凡是宣傳性的話，我一定不寫」。曹聚仁亦不希望帶讀者去關注一些量化數字，或者只去窺探國家社會的黑暗面。所以曹聚仁寫作《北行小語》盡量希望從「小處著眼」，不著力去寫那些大的建設，或城市中繁榮的部分，而把心力集中去寫一些民生細節，希望通過書寫日常，去表現五〇年代中國人的生活，「想從衣、食、住、行（生活必須條件）、娛樂及享受這些小節目上看起」。

曹聚仁出發北行，從深圳經廣州往北京，馬上就從飲食著手作觀察。當時的香港人就以愛「享受」聞名，所以曹聚仁即上館子，到廣州的茶樓看看市民日常生活的享受，他寫道：

> 要過一盅兩件的生活還是可能的，照樣的小籠蟹餃燒賣，只是麵粉黃一點，味兒還不錯……那些茶館酒樓，都是公私合營的，我們自由進入食堂，並不需要飯票，也不限制點菜的數量。記者兩次要一盆白雞，都不曾要到，一次來了一碟豬舌，一次來了一碟燒鵝，色香味都未走樣。記者也曾要了兩次啤酒，也都未要到；可是孖蒸外，高粱、玫瑰露、葡萄酒、枳子酒、荔枝酒，以及茅台、大曲、汾酒、竹葉青，應

有盡有，可以滿足喝一點的願望的。

今天看來，這段所寫的日常生活實在平常。不過當時香港有傳聞中國餓死人，那時曹聚仁住在諾士弗台，在他稱作「欣廬」的板間房中，就有一名女工聽說她家鄉的人都因為共黨的統治而「餓瘦了」。所以曹聚仁說「要過一盅兩件的生活」、「滿足喝一點的願望」，其實是想通過日常飲食的小事去側寫小市民的日常生活。作者寫到和香港相比，廣州的食物沒有香港精美，「麵粉黃一點」。雖然要吃本應在廣州做得出色的白切雞不曾要到，但是一般的小食味道最少「未走樣」。

至於飲酒喝茶，曹聚仁日常不愛喝酒，寫作時則喜歡喝苦茶。他在上文寫點啤酒，自有他的原因。人和貨物能夠全國流通，不論是公營還是私營，背後都需要種種的組織安排，雖然沒有外來的啤酒，不過各式各樣來自中國各地的酒都有得賣，可以說明一些情形。他緊接著上面引文寫道：「以記者的享受來說，也和魯貴一樣，飯後來一杯香片茶，最為受用。在這兒龍井、碧螺春、鐵觀音、香片、祁門紅茶，都有上等好茶葉，並不限制我們的享受的。」曹聚仁希望指出中共「並不限制享受」，不過這種享受卻和當時的香港有所不同，這正是曹聚仁希望表達的中國的狀態。

曹聚仁以吃入手體驗中國，他「為了要體驗得真實一點，記者時常獨自溜出去吃小館子」。他從深圳吃到北京，在北京王府井買紅燒肉；在廣州看戲劇後，到小巷口的「粥攤吃宵夜，一碗艇仔粥（人民幣二角），加上一隻雞腿（人民幣三角五分），也吃得相當滿意」，以例子帶出當時便宜的物價。他在上海時到過錦江飯店，豪華的飯店竟是天天爆滿。文學無論如何也不能複製現實，但曹聚仁通過飲食觀察中國日常這種書寫方式，是甚具實感的寫法。曹聚仁表面平白的散文文字，細察自能感到當中的力量；初看以為是隨意羅列，實則句句對應當時香港的「大陸觀感」。作者這種寫法，就多少能把散文藝術和理性討論調和起來。

曹聚仁也有寫及住與行等其他方面，五〇年代香港住屋環境惡劣，曹聚仁居住在香港亦廁身板間房之中。照理如果和寫食物一樣照用「陸港」比較的方法，很容易「唱好」內地的住屋環境。不過曹聚仁並非要把中國神話化，所以在〈安得廣廈千萬間〉一文中就直言「上海全市房屋，有一半以上都待修理」，「工人的住宿，依然沒有多少改善」，「『房荒』現狀，還得有一段長時間來應付」，作家有一些過得較好的朋友「住的房屋比較寬敞的，卻也談不上充裕」。從這些細節出發，也可以反映作者心中對寫民生現實的追求。

曹聚仁在五四時期開始活躍於中國文壇、報壇，到港後在 1955 年出版《文壇五十年》，就用了個人角度去寫他所知的中國文壇。在《北行小語》中，他也會關注到文化界與文人的情形。他寫到齊白石、沈從文等人的情形。當時正是 1956 年「百花齊放」的時期，政治氣氛比較開放，沈從文幾年前曾經自殺，現在也從政治壓力下慢慢回復過來。

接著也寫到八大胡同、「天橋」、琉璃廠等北京勝地，到琉璃廠的舊書店，看了天橋上演的傳統戲曲。曹聚仁難得與留在上海沒有來港的妻子在北京相會，一起看東安市場。面對東安市場長行的古董店，同行的德國記者以為街市上的古董攤就是「博物館」，曹聚仁很少去注意古董，不覺得古董最能代表中國，反而他著眼民生小吃，並且樂在其中，試看〈東安市場〉當中一段：

> 當中，那一長行的古董攤，項鏈挨著佛像，照一位德國記者的口吻，就等於一個小小的博物館，我們卻也很少停腳細看。大約走了三五丈路，該是一個十字路口了，那口上縱橫相串的就是糖食攤，冰糖山楂、糖葫蘆、山楂糕、蜜漬花紅、杏脯、桃脯，那才對了我的勁，讓我分別買一點，我就在攤邊吃了一串冰糖山楂過了癮。（我的一位朋友太太，她就千叮囑萬叮囑，要把這些東西帶些給她吃，她實在想得慌了。我呢，只能自己吃在肚子裡，萬里遙遙，實在難於填滿她的渴望的了。）也不知東南西北，那麼一串過去，記者就看到了一長行，幾十家大大小小的舊書攤，也有幾家很大的書店。

曹聚仁，一生寫作超過四千萬字，但真的直接寫「對勁」、「過癮」等個人感受的文字的機會並不多，和親人同遊集市的日子就更難得了。能和親人見面，字裡行間所透露的歡快心情，也不常出現在曹聚仁的散文當中。接著他寫在舊書堆尋書的過程，也能使愛書的人看得會心微笑。

曹聚仁的政治觀點與取態，一直是論者評說的重點；曹聚仁在思想上有轉向過，這幾次北行正是他處於思想轉向的時期。曹聚仁在《北行三語》說右派分子到北大荒作勞動改造是去「鍛煉自己」，把北大荒描寫成「即不是天堂，也可說接近天堂」的好地方。在 1960 年寫《北行二語》後記時說「愛護這個有效能有計劃的政府，乃是今日中國人的共同責任」。在《北行二語》引言時直言「這回，我不僅是興奮，而是變更了我的觀點；我認為，我們在建設大業中，應該放棄個人的自由主義觀點」。在《北行三語》後記中說「信仰了三民主義，就不能反對共產主義；孫中山的信徒不能反共」。在二語和三語中，出現了和小語幾乎完全不同的取態，與他自稱的「既非左又非右又不中立」相差很遠，而在上文所引在二語和三語中的一些論點，今天看來，顯然更屬遠離事實。

曹聚仁南來的原因，他在〈南來記〉中曾經提過。1949 年他在北京大學聽演講，講者說到知識分子的命運像一塊磚頭：「一塊磚頭砌到牆頭裡去，那就誰也推不動，落在牆邊，不砌進去的話，那就一腳踢開。」曹聚仁意識到自己是塊砌不進去的石頭，最終必會被一腳踢開。但南來後，他的兩名妻子和家人兒女都還留在中國內地。曹聚仁不斷強調自己是「自由主義者」，這使在內地的家人確實感受到政治壓力，其子曹景行曾說：「實際上，有一個在香港的爸爸，一直是罩在我們頭上的政治陰雲。」曹聚仁在 1956

年時閒談間對一官員質問「即以記者個人來說：和我們的侄兒、侄女們的關係，簡直說不上來，也可以說比路人還淡一點。然而，每一回調查他們的人事關係，一定要問及我的思想問題。……我的思想，根本和他們不相干，然而，要他們來交代」，曹聚仁是明確了解當中的政治壓力的。在 1958 年寫《北行三語》時，曹聚仁收到消息，知道他在上海讀書的長女曹雷下放到農村去了。「她們並不是短期間去看農村生活，而是要和農民共同生活一段時期。這段時期，可能是六個月，也可能是一年。」作家寫得平淡，但當時的心情實在可想而知，他多次往返內地，也比別人更了解政治風向。面對真實的政治，又想到家人的處境，曹聚仁所理想的真實「小語」是寫不下去的了。現實中真的能無所繫縛自由出遊的時間從來也不能說多，但無論如何，曹聚仁的三本《北行》，正好記錄了中國內地在 1956 年至 1958 年的重要政治轉變下的內地情形。香港給了曹聚仁比較自由的寫作空間，也給予了他寫文化遊記所必須要的距離。當中的種種嘗試，還是很值得欣賞。

中國在五〇、六〇年代出現一連串的政治運動，在「反右運動」、「大躍進」、「文革」等等政治運動下，香港作家更難通過旅遊去接觸中國內地。黃蒙田可能是當中有趣的例外。在 1960 年後中國內地愈加政治化的氣氛下，黃蒙田還能如常到中國內地旅行，寫出大量遊記。如《春暖花開》（1965）、《竹林深處人家》（1969）、《湖光山色之間》（1976）等。三本散文集的共通點可以說是遠離城市，到山水之間感受大自然，文章寫得精彩，帶出一種田園牧歌的氣氛。不過我們比對時間結合歷史，自然會發現文中旅行的牧歌氣氛，與我們所知的歷史現實有很大的出入。例如在〈湖光山色之間〉：

> 要是你在假日來遊西湖，在山間、湖上、樹下和花園裡，你會聽到此起彼落的歡樂歌聲，你會看到最能表達真摯感情的舞蹈，當然，你還會看到無數歡笑的面孔。他們是紅領巾，是學生，是工人，還有戰士。你經過他們身邊，他們一面高歌一面拍手歡迎你。你走了，他們一面舞蹈一面揚手同你說再見。

拍手舞蹈歡送作家，可能和作家「外賓」身份有關，但會在山間、湖上聽到「此起彼落的歡樂歌聲」，還有預先認定舞蹈「最能表達真摯感情」，則可以理解成一種純粹感性的追求，或者是抽離現實的寫法。時代不同，即使是在香港寫內地，也可以見到很大的分別。

對中國的關懷，絕非為曹聚仁等南來作家所獨有，土生土長的香港作家同樣關懷中國。六〇年代時戰後一代開始成長，與年長一代對中國複雜的情感不同，年輕一代亦希望用自己的方式去了解中國。香港相比當時的中國大陸與台灣，也能更自由接觸五四文學，對傳統文學文化的吸收也沒有大的斷裂。1966 年「文化大革命」開始，中國更見封閉，香港人難以到旅遊。到八〇年代改革開放，種種變化增加了

「陸港」溝通的機會，多了香港人到內地旅遊，也有內地人到香港來。那時也有不少香港作家寫過當時的中國內地。

也斯對文化遊記的探索和他在八〇年代的經歷有關。在 1978 年赴美讀書，1985 年回港後開始在香港大學任教，講授「中國現代主義」，後來也教授了「當代中國社會文學與電影」。接著他通過多次到中國內地旅遊的經歷，在八〇年代中接連寫作與中國有關的散文。這時也斯開始用比較新的角度思考中國，當中既有學術上的思考，也有廣義的文化與社會關懷。作家與學者的雙重身份，使他更能感受到 1985 年至 1989 年間香港與內地愈見密切的文化交流。作家不甘於只寫山水的表面，希望通過旅遊閱讀中國，也希望去追尋在山水名勝背後的文化中國。

這一時期的散文，也斯於 1991 年結集成《昆明的紅嘴鷗》，及後編輯出版成《昆明的除夕》（2002）。也斯是位有創作自覺的作家，集內文章最初發表在不同地方，但當時的也斯，「是有個方向地寫下當時閱讀中國的感受，也有一種共鳴與憂慮」。他感覺八〇年代後期的中國是個「黃金時期」，這「黃金時期」的感覺，是因為他和「不少從國內出來的詩人、小說家、電影導演、劇作家和音樂家」展開對話以產生的，也是因為「其間我有不少機會回國訪問旅行，在香港也接觸到許多來訪或過境的藝術家，這集中的散文，多是在這階段寫成對山川人物的感觸」。可說《昆明的除夕》對作者是一個創作整體，是他散文藝術上的一次成果。作家王璞也感覺到也斯散文的這個特性：「也斯喜歡談到觀看角度的問題，牛津出版社新出的六本也斯散文集，每一集的前言後記裡，我們看到的不是創作的經驗之談，而是一次次觀看的經歷」，《昆明的除夕》正是一次觀看中國內地的經歷。

因作家和內地文學藝術家有緊密接觸，所以也斯的遊記，更重點去探索「文化中國」的部分。在《昆明的除夕》中，就既有對傳統與文化的思考，也有意追尋抗日戰爭時西南聯大表現出來的文化精神，更多的是以當代中國為主線，通過實際的觀察，探討文化傳統傳承與轉化的問題。

既然《昆明的除夕》是一個作家自覺組織的整體，我們不妨順著作家的思路，從頭讀起。正如曹聚仁不希望跟隨官方的路線一樣，也斯在〈武侯祠的小石雕〉中，也希望不從既定的路線去觀察事物。文章一開始就說「才進門，內地的朋友很奇怪我們這幾個人為什麼不去看每一個人都去看的碑文，反而被旁邊矗立的一塊石頭吸引，走過去看那些不是供奉在祠內的文字」，作家不喜歡一些欠缺生氣的東西，所以對同樣「供奉」在內的「這羽扇綸巾的塑像，卻好像沒有什麼感覺了」。旅遊的好處，是可以通過自身的感覺和觀察，更新或修訂既有的觀點。在〈三蘇祠取景〉中，作者在攝影取景時遇到困難，使他反思就算有新的看法，新的角度，表達的過程也可以有種種困難與差錯：

> 沿著迴廊，想拍些什麼？我也不知道。酒後劇談猶激烈，花前思絮自翻飛。好，好句！讓我們站在這前面，拍一個照！可是，不知怎的，拍出來的照片

裡，只剩下一半對聯，獨自翻飛。拍不出：那些迂迴的感覺，呼應的結構，迴望的角度。拍不出：那些輕風與水流。

在這段靈動精彩的文字中見到，也斯散文往往運用平視的角度，不抱有一個既定的立場看事物，有時也樂於在旅途中修正自己的想法。在一次與舒非的訪問中，也斯這樣說明自己的想法：「我喜愛的，是在日常生活中體味到那份詩意，《山水人物》中有篇寫齊白石畫的文章，我引用了他的一句題畫詩：『不欲教人仰首看』，這也是我做人做文的態度。」作家運用平視的角度，一方面希望「藝術地人生」，體味生活中的美，追求散文的感性，同一時間，亦希望把人生思考置於散文藝術當中。

也斯亦與曹聚仁一樣，樂於去了解不同文化間的差異，認為不應該去隨便否定另一方，在〈揚琴和結他〉中，也斯到四川一個文化公園觀看揚琴表演。也斯最初聽不清楚唱辭，就「去看操琴的手勢，生旦和花臉的表情」，後來一曲一曲聽下去漸漸能聽清楚唱辭，開始去欣賞戲劇當中的感情豐富的幅度，雖然「戲沒有真在眼前演出來，但在演員婉轉起伏的唱腔中，聽到那感情的線索」，後來到一位結他手表演，卻大唱香港的電視劇主題曲。這時候也斯：

我不禁感到抱歉，希望他不是因為瞥見台下有幾個外地來的遊客，像我們這樣的傢伙才特別遷就的罷。剛才坐在台前那位老伯，聽揚琴聽到出神處喊一聲好的，這時站起來，低下頭，慢慢地走出去。不再失望啊，我在心裡喊：老伯我也認為揚琴是更好的藝術，那些優雅的藝術，會回來的……

書寫文化差異，很容易落入一種泛泛而談的窠臼，見林不見樹。也斯之所以運用散文藝術書寫文化，正是因為散文更包容具體展示，也能保持作家當時的實際感受和細膩轉折。一次揚琴會，反而可以小見大，表現出當代文化當中的傳統與現代、優雅與流行，以及改革開放面對現代化時那表面的嘲諷與內在的附和。這種寫法，沒有曹聚仁在《北行小語》中那麼斬釘截鐵，不過就更添幾分迴旋的餘裕。

〈昆明的紅嘴鷗〉寫的是也斯探尋西南聯大舊址的一段經歷。也斯心目中的西南聯大是一個有文化意義的地方，是一種理想的精神生活的縮影，也有作家所尊敬的如穆旦、馮至和沈從文等的詩人和小說家。「感覺到在那個時代，實在有不少出色的有個性的人物，在逆境中更真實地突出了他們身上光彩的質素、平實中有堅持，不羈底下有理想。」作者一邊書寫西南聯大的歷史，一邊和讀者一起追尋西南聯大。到找到雲南大學，看見雄偉的建築，就認定這是西南聯大；後來發現錯了，最終在雲南師範大學後面發現一座簡陋平房，原來就是西南聯大舊址，也斯把這段追尋的過程寫進去，形象化的表現作者對這種「精神」的追求過程，也希望找出把這種精神延續的方法。1986 年的中國又有了一些政治風波，雲南也有學生參與其中。西南聯大的可貴精神，在四十多年後是不是還存在呢？也斯好似看到一些「痕跡」，但又覺「什麼也看不到」，〈昆明的紅嘴鷗〉最後附上同名的一首詩，寫那些紅嘴海鷗消失了影蹤，作者運用問號作結而寫得含蓄，當中自有寄託在：

一朝醒來鳥兒全不見蹤影
是因為乍來的寒冷
令牠們暫時躲起來
還是牠們再次遠飛
為了尋找更溫暖的地方？
牠們到什麼地方從頭築巢？
哪裡是適飛的氣候？
在哪一個開敞的湖畔
擦亮人們仰望的眼睛？

我們可以看到，也斯的遊記文體，嘗試把文化歷史與旅遊經歷更自然的結合在一起。散文感性便非單獨存在，而是結合著對文化、歷史的理解而來。日本作家谷崎潤一郎在《文章讀本》（1936）認為「現代人不管排出多麼美麗的句子，音調多麼溫潤的文字，如果不能伴隨實際理解的話，就不會感覺美麗」，正說明現代散文的美感體驗與當中的實際理解不可二分。遊記可以是美文，但也同時可以包含各種各樣的東西。也斯二十歲開始發表散文創作，最初的創作結集就是散文集，作家一直嘗試運用散文這種具開放性的文體，去實踐他對文學、文化、社會各方面的關懷。他明白香港的複雜與多元，當他通過遊記寫其他城市，他也會去觀察城市空間當中的各種單元。在美國學習也使他對文化有更深一層的把握，也斯不甘於把文字藝術與文化觀察對立起來，在〈時空的漫遊：訪問上海〉一文中，作家進一步實踐在散文中調和感性和知性，調和看似對立的兩者。

〈時空的漫遊：訪問上海〉最初發表於 1989 年《香港文學》7 月號至 9 月號，是一篇連載了三個月的長篇散文，亦是《昆明的除夕》中最長的一篇遊記。不同於寫作武侯祠或三蘇祠，也斯打算用怎樣的方法去寫一個城市呢？一個城市可以很多元，可以有很多面貌，可以有各種各樣參差的線索。也斯在這篇散文中，創造了獨特的語調，這語調通過第二人稱的「你」更合理的表現出來。在這一次「時空的漫遊」中，作者有意借用「你」的特性，好像在邀請讀者「在場」，與他同遊上海，去觀看與感覺作者的見聞，也使一些場景如在目前：

> 沿路散步，你會看到種種優雅的建築，大部分是過去留下的。這一幢，有別致的拱門，也許現在擱滿雜物；這一幢，有拔挺的尖閣，也許現在窗玻璃全破了。你走過一列紅磚的圍牆，望見一幢童話裡的北歐堡壘般的房子，外面的牌子告訴你這是黨市委共青團的地方。這不是反嘲、這不是拼貼、不是一個後現代

的遊戲。這參差和矛盾的堆砌，是歷史的手筆，現實的變化。

作者運用敘事技巧之餘，也不斷提醒讀者，所見所感的，是歷史與現實。

敘事人稱的另一效果，能逼使讀者走到前景，去要求讀者參與作者探索過程，判斷當中的參差與含糊，文章一開始就問「你」:「到底有沒有可能去認識一個城市？」，「你們在尋找昔日，一所古老的小廟」。「你」有時會與「他」相對，展示一種相對的價值觀，別一種旅遊與感受城市的方法：

他帶著北京來的朋友，說到好玩的地方，好吃的食物。現在北京吃到的烤鴨，反而不如上海呢，他說。他介紹你們去當地的一間酒吧，酒類夠多，而且收費合理。他邊說邊喝一口可樂。你跟他相反，你在這新的城市裡，卻總在忖想舊的城市，想過去人們提起，從書本上讀到的那個城市，想新的城市怎樣逐漸從舊的城市變化出來。

作者一邊要「你」判斷，一邊去嘗試找出認識城市的方法，這和曹聚仁在五〇年代，通過旅遊去閱讀城市，懷有近似的追求。作者不希望只是看名勝吃喝玩樂去認識城市，不過，也斯喜歡吃，也不妨玩樂，樂於去吃民間小吃，也運用吃喝去寫城市。如通過包子反映一些既定的看法，「街上走過的孩子跟媽媽說：『外賓也吃包子！』是的，外賓也吃包子，不一定要看新建的大廈」。作家也和曹聚仁一樣，尋訪過哈同花園，到過錦江飯店，經過「百樂門」與「大世界」，在上海的建築中尋找當中的歷史，曹聚仁重到，也斯新來，兩代的書寫展現上海的演變。

以「你」作敘事除了以上兩種效果，作者更另有探索。在文中作者創造了「你」，通過當中的見聞，讀者能感受到「你」同時也是作者。在原版《昆明的紅嘴鷗》的序中，也斯也特別提到「對話」：「遊記也像是內心與外界現實的對話，內心主觀的想法，在旅遊時遇到現實而有所修正，逐漸形成新的看法。遊與思之間，是來復往還的修正與平衡。」自我在「寫作者」與「你」之間交流，尤如心話心聲，使文章非常適合運用內心獨白與自由間接引語寫作：

> 面對一片空空蕩蕩，教人忍不住想像那一度有過的熱鬧聲色。曲曲折折的欄杆，通向湖心亭，是喝茶的好地方。水裡還有游魚。英女皇伊利沙白來的時候，也在這裡喝茶呢。游魚多麼悠閒。古意盎然了吧？但是，你知道嗎？他們現在下午都不賣茶了，賣可樂和咖啡，賺的才多呀！
>
> 幸好去的是上午，那便沏了茶，找一張圓桌坐下。

引文融合寫景、動作、觀察與對話，帶出了歷史，也包含了對商人溫和的諷刺。作者創造出這種極有特色遊記文體，探索遊記散文的更多可能。學者孫紹振讚揚也斯的散文走出新路，說：「至今為止，完全離開幽默和抒情，把抽象的邏輯和理性話語，轉化為藝術形象的真是鳳毛麟角。在香港，也斯先生可算是一個。」筆者認為也斯的散文中也有情，如前文寫到那位喜愛揚琴的老伯筆墨就帶感情，不過也斯喜歡把當中的情感與思考融和一體，通過具體的事表現出來。

也斯在上海越劇院欣賞《紅樓夢》劇，到過上海博物館，去訪問小說家施蟄存與詩人孫大雨，試過去找尋劉以鬯的舊居，去看張愛玲住過的公寓，希望去找前輩作家也看過的窗前風景。也斯認為歷史藏在建築物中，藏在博物館中，藏在錢幣郵票等物質文化中，也藏在文學、藝術當中，藏在一代一代見證歷史與寫作時代的作家中。作家站在魯迅故居門外，這個曹聚仁與黃蒙田在不同時期都到過尋思過的地方，也斯想到的是更寬廣的歷史問題：

> 從那兒出來，你會不會忽發奇想，問：找不找得到「詩怪」李金髮的故居？有沒有人圍起「怪人」徐玉諾的故居？圍起來，就是保護了認可了、肯定了。圍起來，然後會保存下來。當你被稱為「怪」，你就只能留在外面，自生自滅，在一場風暴中毀去不留痕跡了。
>
> 多可惜。歷史本來是豐富的，有些人卻選擇了排他的銘記方法。

〈時空的漫遊：訪問上海〉是也斯散文創作上的一大成果，這種閱讀城市的方法，自然令也斯想起香港，文中結語「你想著這個城市，不禁回想起你來自的那個城市。你不禁想到歷史，又隱約地想到將來」。這可說是他寫出〈香港故事：為什麼這麼難說〉那種靈活的文化評論的先聲，也是他後來寫出《在柏林走路》中那種更寬廣自在的散文文體的基石。

1990 年前後中國內外的溝通好像冷落了一陣子，再過幾年中國內地在經濟上更見開放，當代文化面貌在九〇年代又有了很大不同。今時今日中國內地在經濟上日見繁榮，陸港交流更見頻密，書寫中國內地與閱讀中國的人愈來愈多，今日的《潮爆中國》（2008），經濟繁榮下在香港寫中國好似又有別一種態度。不過，在回看前人面對各種困難與限制當中書寫中國內地，就更值得稱道了。

05 「見證文壇萬里行」
——曹聚仁作品集導讀

為什麼我們現在還要閱讀曹聚仁？

曹聚仁是一位香港文學的重要作家，是五〇年代香港散文的重要代表，他「一生有五分之四的創作在香港完成」，大部分作品成書都在香港。對人文學科有興趣的普通讀者而言，有一個重要的問題：畢竟五〇年代也已經是七十多年前的事了，為什麼我們現在還要閱讀曹聚仁？

我們可以先了解他的人生經歷，曹聚仁出生於 1900 年清光緒年間，出生於浙江浦江一小山村蔣畈。父親曹夢岐是名秀才，曾參加清末科舉考試，落第回鄉後興辦新式學堂，不收報酬，亦自力籌備學校經費。父親既是校長又是老師，對曹聚仁在教學甚為嚴格，七歲時，讀〈大學〉、〈中庸〉、《論語》、《孟子》，還能背默《詩經》，他有良好的古文根底，六歲左右便能寫出四、五百字的文言長文。青年曹聚仁進浙江省立第一師範讀預科，接觸新學，學弟施存統把《新青年》介紹給曹閱讀，曹亦成了新思想的支持者。後經歷五四運動衝擊，「一師」的學生亦響應活動，曹聚仁為當時學生運動領袖。曹聚仁在成長時期受來自不同方向的思想所影響，既有舊學又有新知，「通古今中外」也是那一代處於變革期的知識分子的常態。

1925 年，曹聚仁受暨南大學校長邀請，擔任中學部國文教師，後來又改到大學部，正式展開他往後十多年的大學教授生涯。1927 年四一二清黨後，曹聚仁的老師單不庵請他到浙江省立圖書館西湖分館文瀾閣參與《四庫全書》的編修工作，他便答應下來，在文瀾閣居住了大約半年。1928 年春，他再次回到暨南大學。曹聚仁晚年於香港撰寫的《我與我的世界》（1973）中，便說到自己從 1927 年到 1931 年期間，差不多沉默了五個年頭。

三〇年代是他的第一個爆發期，1931 年，曹聚仁在上海創辦了《濤聲》周刊，以敢言著稱，並以烏鴉作為標記，明言「報憂不報喜」。1934 年至 1937 年間，他在《申報·自由談》、《太白》等多份刊物上發表文章，也曾擔任《太白》編輯。1935 年 3 月，與徐懋庸合辦《芒種》半月刊，這年起《筆端》（1935）、《國故零簡》（1936）、《文筆散策》（1936）、《元人論曲》（1926）和《文思》（1937）等多部文集陸續出版。

1935 年 12 月 29 日，曹聚仁加入了上海文化界救國會。1937 年夏，九一八事變後，他毅然放下教學事業，投身戰場任隨軍記者，不久後受聘為中央通訊社戰地記者，自此走遍戰地，在多份報刊發表通訊，廣為人所尊敬。曹聚仁與香港的因緣，即從抗戰這段時期開始，他作為隨軍記者在香港的《立報》和《星島日報》發表戰地通訊和軍情分析。四〇年代，他受蔣經國之邀主持《正氣日報》，後轉到《前線日報》任總主筆，一直至抗戰勝利。曹聚仁的報導廣受歡迎，因他曾參與八一三事變及台兒莊戰役，出版了《中國抗戰畫史》（1947）及《大江南線》（1945）等書，取得很高的評價，在國人心目中有一定地位。據曹聚仁本人所記，他在《前線日報》任職同時，也持續為香港的《星島日報》撰寫通訊，而且是他發表新聞報導的重心，只在香港淪陷時一度中斷。1945 年 8 月抗戰結束，9 月曹聚仁便從杭州回到上海。在上海逗留三個月後，曹聚仁到了南京、九江、蕪湖作短期旅行，為他五〇年代的一系列行記作了充足的準備，寫下了他的「採訪」系列文集。戰後他藉「戰地記者」的身份，更猶如明星，在出版界擔任重要的角色，他的社會影響力更大。因為身為記者，他與公眾接觸的機會多，知名度亦較高，戰地通訊作為戰爭時期重要的娛樂與全國人關注的重點，使他在四〇年代有更高的知名度。

1946 年初，國共談判臨近破裂之時，台灣當局邀請南京與上海新聞界人士到台採訪，曹聚仁作為《前線日報》代表前往當地，由當局安排下參與十天環島遊的訪問。國共內戰爆發後，他繼續觀察著國共兩方面的情勢，把通訊發表在福州的《星閩日報》及香港的《星島日報》上，同時於上海法學院學系和蘇州國立社會教育學院新聞系任教職。1949 年《前線日報》社長馬樹禮給曹聚仁一家送來船票，請他們共赴台灣，但曹聚仁拒絕了。1950 年 8 月，曹聚仁選擇南下香港，從此執筆為生，在港出版文集近四十部。

曹聚仁是被遺忘的寶庫

對我來說，曹聚仁是被互聯網一代遺忘的寶庫，在2023年的網上世界，我驚訝於在「維基百科」竟沒有他基本的傳記描述。如果你嘗試了解曹聚仁，便會發現他創造了一個廣博的知識世界。他的一生可以用勤奮兩字來形容，著作種類繁多，有文學史、學術思想史、人物傳記、年譜、歷史著作、採訪報導、政論、雜論、遊記、小說、散文、回憶錄等。綜觀其一生，更會發現其閱歷之豐富。這位活躍於五〇、六〇年代的文化人，在不同報刊上發表文章，結集出版著作，直到1972年去世為止，總共出版超過50本作品，一生寫作超過四千萬字。

閱讀曹聚仁的作品，可說是體驗了他在五〇年代香港不斷寫作，波瀾壯闊的著述旅程。若聚焦於香港文學與文化，必能發現曹聚仁其實是一位「文化多面手」，種類計有文學史、學術思想史、人物傳記、年譜、歷史著作、採訪報導、政論、雜論、遊記、小說、散文和回憶錄等等。在五〇年代以前，曹聚仁擔任學者、大學教授，研究文學史、學術思想，整理人物傳記及年譜。

曹聚仁的散文特色

在《香港文學大系（一九五〇－一九六九）：散文卷一》（2021）的序中，編者樊善標提出一個有趣現象，就是

1950 年時重要的香港散文作者當中，年齡最大的分別是左舜生、陳君葆、易君左、曹聚仁等，都是 50 歲至 60 歲左右。這也可能是五〇年代的雜感隨筆帶有一種中年味道的原因，更可說是曹聚仁寫作的基調。

曹聚仁總能在不同類型著述上保持閒談式隨筆風格，就算是討論國學或其他深刻內容的書，亦會向讀者訴說個人經驗。顯然他避開一種高蹈的論調，而用和讀者「談談」的方法，站在與讀者同樣的高度，以免沉悶呆滯之感。在行文方面，曹聚仁自言行文受桐城派古文所影響，自言別人「洋洋灑灑，下筆萬言，我們則短短六七百字，所謂『以少許勝人多許』也」。可見他自覺習得桐城派散文的簡約；這也是曹聚仁在報刊專欄寫作如魚得水的原因，既能配合各種文藝園地，又不為其所限。

曹聚仁又擅於反映各地人文特色，遊遍大江南北的他，寫下了不少地方書寫，別具理趣。他也精於月旦人物，寫作很多與評人論物的文章，也寫下了如《魯迅評傳》這種反映個人見解的人物傳記，不單有史學及文學研究方面的價值，在寫人敘事的方法上也值得關注。陳平原亦曾稱許曹的自傳《我與我的世界》:「將《朝花夕拾》與《師友雜憶》合而為一，兼具史學價值與文章趣味，最值得稱道。」也許可作為對曹聚仁紀傳文字的一個中肯評價。

「知識人」在今天的價值

在《小說新語》（1964）後記中作家曾說：「年紀一年年增加了，勇氣一年年減退了，也慢慢明白我所能寫的，也只是劄記一類的東西而已。」不過劄記寫下的讀書心得，往往是一位知識人的精華所在。一位好的作者，必須是一位好的讀者。曹聚仁的「通才」特性，也使他閱讀的角度比一些「專家」更為廣闊。對今天新一代的普通讀者而言，各門各類的知識在網上世界都有答案，但曹聚仁這類知識人的好處，就是融會貫通，把所知與我們的生活及面對的困難結合，並且用易懂的、有趣味的方式寫下來。閱讀曹聚仁，總比與人工智能對話，更有所得。

06 編輯部署與多元解讀
——話說《香港文學大系》散文卷

《香港文學大系（一九一九－一九四九）》兩部散文卷在 2014 年 7 月出版，已經出版了一年多，算是半新書了。大系出版的那時候香港文學評論學會成立的準備工作一步一步進行中，我是個做散文研究的人，世豪則是做詩的研究，我們都認為《香港文學大系》這套書很重要，不過當時我們猜想有興趣評選本、工具書的人並不多，感覺到我們有責任撰文討論這兩本書。於是便著手書寫，寫成了八千多字。12 月評論學會開會時，美筠知道我和世豪的想法就進一步推動，把評論《香港文學大系》各卷的稿件集合在一起弄成特輯，認為效果會更理想，我也很同意。文字園地像個孩子，最怕養不大，編輯不是親媽就是奶媽，永遠想給它吃最好的稿，當過編輯或當過媽媽的都明白。

等待特輯成形，原來寫了八千多字的稿便壓下了一年，最近在重新整理文章的時候順道也把大系再讀了一遍，重讀時又有了一些想法，最後還是決定重寫。經營學會一年，更多去思考評論人是怎樣一回事，評論又是怎樣一回事。今次希望把一些討論更集中開展，而主要是換一種寫法，先前更著重評書，現在更希望用自己的角度，去解說大系衍生的一些有關香港文學的討論。

大系散文卷這兩本書為什麼很重要呢？一般來說，「大系」是一種結集，意思就是為一段完結了的時代來一個總結，所以「大系」通常收入熟悉的作家、知名的作品，閱讀時總帶有一種看名畫展看大師的感覺。不過《香港文學大系（一九一九－一九四九）》散文卷並不是這樣，它是一本全新的書。這是一本追跡、回溯、考掘之書，閱讀時更多地感受到發現的驚喜，不熟知的作品往往能更新你的觀念，你會驚訝那個時代的人是這樣思考的，數十年前的街道是這樣的：「從深綠的樹林裡，有時踱出三五個異國的青年，穿著雪白的內衣，似是而非的哼著他們的歌調，還動人的是那小小的提琴，密密不歇地發出沉重的聲音。」你猜是哪條街？如此歐陸風情，竟然是油尖旺彌敦道！那些作者的名字大多是不可考的筆名，從文章看也應不是什麼大人物，可以用一種平視的感覺去閱讀。我們慣性認為那些塵封在過去的人們及其日常，跟今天截然不同，書中散文年代久遠，自然帶有歷史感，但不時出現熟悉的片段，使我們確切感受到文中所寫的正是我們生活的同一個地方，並不如想像中遙遠。那些生活的本質的重像，就將忽地看一部粵語長片，看到鄭君綿在電影《兩傻遊天堂》（1958）唱〈一身蟻〉時發現當中女主角穿了 2015 年女生的時款長裙一樣。

1949 年前的香港文學狀況是怎樣的呢？即使去問香港文學研究的專家，這也絕不是一條容易回答清楚的問題。首先尋找資料就相當困難，超過六十年前的報紙、書籍、雜誌仍保存下來的話都是古董了，聽主編陳國球在講座中說過，不少資料還要上舊書網和內地書商鬥價搶回來。以我所知像孔夫子網那種舊書網，不少書都是天價，有心頭好非買不可的話絕對只能高價購買。而且《香港文學大系》編選的範圍年度久遠，不能通過向作家約稿等等的方法處理，必須一步步找資料、翻文獻，還要在模糊的舊件上辨正字粒，外加一系列大大小小的工作和資源投入。這種項目很難單打獨鬥完成，也注定了這叢書需要有大型出版社包底、大學科研與政府資助甚至私人捐助投入才能完成。

曾經在不同場合聽過不少香港文學研究者說過：香港未到時候寫香港文學史，而且往往提到小思的意見。那小思其實是怎樣說的呢？二十八年前，1988 年小思在《香港文學》上發表了〈香港文學研究的幾個問題〉一篇文章，在文章中小思提到當時香港文學研究有哪些誤區，當中有什麼還未做好的功夫，也提到好一些需要關注的前人研究。文章最後一個觀點副題為：「短期內不宜編寫文學史」，內文云：「由於香港文學這門研究仍十分稚嫩，既無充足的第一手資料，甚至連一個較完整的年表或大事記都還沒有，就急於編寫《香港文學史》，是十分危險的事情。」篇末還有一個附記：「一九八八年十月十六日筆者出席北京社會科學院與上海社會科學院文學研究所合辦的『中華文學史料學研討會』，又把本文加以修訂，再加『近十年香港對中國現代文學史料研究』，合成一文，作會上發言。」意思就是這篇文章的受眾，和這篇文章的發表地是有關的。

我認為，小思「短期內不宜編寫文學史」的說法大概與當時回歸前中國內地對書寫香港文學史的熱潮有關，不過，整篇文章也為後來的研究者指出了明確的方向，既有針對性又是普適的。小思的這篇文章也是近三十年前寫的，近年香港文學的研究成果很豐富，許定銘在特輯的〈編寫香港新文學史的淩思斷片〉中也寫得很清楚。從這點上看《香港文學大系》的出現也可說是和小思文章中的看法相通，小思的文章陳述了香港文學研究的重要「需求」，對香港文學資料整理與保存也是學術共識。在希望終將誕生真正的香港文學史的遠景下，《香港文學大系（一九一九－一九四九）》更多的帶有追跡、考掘的味道。編者在兩部《散文卷》中花很多心思去為散文作者撰寫小傳，也沒有忽略很多文學選集缺少的原文發表地及日期，從種種的細節，可看到編輯團隊的史觀，也可說幾代香港文學研究者共有的一種「香港文學史自覺」。

這部散文大系之中，幾位學者的序言都值得注意。首先是陳國球的〈總序〉，文中前半則最主要的討論眾「大系」的重要前驅《中國新文學大系》的編輯意圖。當中提到劉禾的判斷，這個觀點的完整中文版本可以在她的名作《跨語際實踐》（2002）第八章「《中國新文學大系》的製作」中找到，她說「從某種意義上說，《大系》是一個自我殖民的規劃，西方成為人們賴以重新確定中國文學意義的絕對權威。例如，《大系》把文類形式分為小說、詩歌、戲劇和散文，並且按照這種分類原則來組織所有的文學作品。這些文類範疇被理解為完全可以同英語中的 fiction，poetry，drama 和

familiar prose 相對應的文類」。陳國球認為劉禾此一論斷為「一種非常過度的詮釋」。劉禾的論斷的確讓人感到倉卒，但她的說法其實也從一定的理論體系而來，依我的理解，她很重視「部署」（deployment）這概念，認為一個地方的現代性的發展過程，可以用部署的方法來作討論，「現代性部署」自然與當中運作的人有關，知識分子、編輯、翻譯家，都有一定的權力話語在其中。「現代性部署」這個觀點有它很大的詮釋解讀空間，也很有啟發性，也令我們想到現代性的概念當中，其實可以有很多可能性和可操作變化之處，近代也會有論者討論到現代性的多樣性與多種可能，劉禾的觀點則提供了這種可操作的方式。劉禾使用 deployment 的說法重點傾向實踐操作者上，用這個觀點來看《中國新文學大系》的編輯們包括趙家璧等人，就是建立所謂《大系》體系的「部署」者，就是他們把西方的文類觀點「部署」進入當時中國。陳國球在序中已經非常清楚地回應了此一觀點，當中最重要的一點在最後，他說「這些《中國新文學大系》各卷的編者，各懷信仰，尤其對於中國未來的設想，取徑更千差萬別；但在進行這些編選工作時，其相同的思路還是明顯的 —— 就是為歷史作證」。我點出陳國球在大系中對劉禾說法的反駁，也寫了這麼一段講劉禾的說法，我其實是想問一個問題：編文學大系是所謂的「權力部署」，還是「為歷史作證」？

陳國球認為劉禾的詮釋是「污名化」的詮釋，而我認為這一詮釋的危險在於，所有文學的出版、資料的整理也可以被視為一種「權力部署」。如本特輯中許定銘文章提到過眾多香港文學研究者的成果所看到，《香港文學大系》背後有明顯的「為歷史作證」的意味，我相信在解釋了劉禾的說法後，也會對大家理解陳國球在總序中對劉禾的批評有幫助。

但對散文此一文體而言，劉禾的詮釋還有可以討論的地方，她說《中國新文學大系》中的四大文類可等同英文中的相應文類；在短篇小說、戲劇和新詩這幾個文類，也許還能夠辯說得通，但在散文上這樣說就不一定準確。我們可看《中國新文學大系・散文卷二》郁達夫在導言中的說法，他認為能把 essay 的觀念和中國現代散文類比，但「其實這一種說法，這一種翻譯名義的苦心，都是白費的心思，中國所有的東西，又何必完全和西洋一樣？西洋所獨有的氣質文化，又哪裡能完全翻譯到中國來？所以我們的散文，只能約略的說，是 prose 的譯名，和 essays 有些相像，係除小說、戲劇之外的一種文體；至於要想以一語來道破內容，或以一個名字來說盡特點，卻是萬萬辦不到的事情」。可見郁達夫對此有很高的警覺，實在不應該硬說成是他意圖「自我殖民的規劃」。那麼周作人呢？周作人在五四早期，嘗試過把現代散文和英美散文類比，不過很快他就建立了一套自己的散文理論。他認為現代散文與晚明小品相通，並在《中國新文學的源流》（1932）創造了他的「言志、載道」的文學發展觀念，所以在《中國新文學大系・散文卷一》導言中他說：「現在的文學 —— 現在只就散文說 —— 與明代的有些相像，正是不足怪的，雖然並沒有模仿，或者也還很少有人去讀明文，又因時代的關係在文字上很有歐化的地方，思想上也自然要比四百年前有了明顯的改變。現代的散文好像是一條湮沒在沙土下的河水，多少年後又在下流被掘了出來，這是一條古河，卻又是新的。」就算他更早在 1921 年〈美文〉說寫文章可參考蘭姆、歐文、霍桑的文章，也補說：「我們可以看了外國的模範做去，但是需用自己的文句與思想，不可去模仿他們。」如果要說中國現代文學是模仿西方，似乎過不了散文這一關。不過劉禾的「現代性部署」在這確實有啟發性，研究者蘇文瑜在《周作人：自己的園地》（*Zhou Zuoren and an Alternative Chinese Response to Modernity*）（2002）就認為周作人通過他的散文去證明了，現代人怎樣在轉化傳統中國的美而創作。我借蘇文瑜的觀點去看，周作人比郁達夫有更明顯的意圖和「部署」，不過所部署的看來正和劉禾所指的相反。

為什麼要說這麼多有關部署的話題呢？我想要問的是，就算各編輯間各有「部署」，如周作人、郁達夫，編者有自己的散文體系和想法，選本成書以後，你相不相信文章本身能發出自己的聲音呢？你相不相信讀者能有他獨立的解讀呢？陳國球在〈總序〉小結卻是這樣說：「各種論見的交錯、覆疊，以至留白，更能抉發文學與文學史之間的『呈現』與『拒呈現』的幽微意義。」你比較相信編者「部署」，還是文學自有天地「拒呈現」，上引陳國球的說法正回答了或是展開了本段的提問。

《香港文學大系（一九一九－一九四九）》兩本散文卷

以 1942 年香港淪陷前後為界劃分，因為如我先前所說的有「文學史」的想法在當中，寫導言自然講不出像周作人在導言中：「我可以說明我的是那麼不講歷史，不管主義黨派，只憑主觀偏見而編的」這種話，《散文卷二》編者危令敦的導言著重回顧當時香港歷史，對當時香港的實際狀況和報業狀態作了精要概括，導言後半部則分門別類，依「分析、記述、描繪與抒懷」為類舉例說明。《散文卷二》反映戰後香港聚集了不少文化人才，葉靈鳳、三蘇、舒巷城、黃蒙田的選文也很好讀，如危令敦有趣的概括：「香港這塊『飛地』曾經發揮微妙而重要的作用，不僅被稱為『文化中心』，更被譽為『輿論中心』，甚至被比喻為言論的『天堂』。」

《散文卷一》所包括的年代更為久遠，有些資料的散佚更無可避免。樊善標在導言中除了列舉盧瑋鑾、黃繼持、鄭樹森、黃康顯對這時期的文學研究的貢獻外，他亦指出當時香港的散文與中國內地的互動情況，例如和「陸港」有互動的如「抗戰文藝」、汪精衛系「和平文藝」，又例如他指出徐遲在〈抒情的放逐〉（1939）後並未完全放棄抒情，都是有趣的觀察。樊善標提出更重要的觀點可能是他寫到二〇年代末香港文學「其實不僅文風，不少文藝刊物整體上都有前期創造社或中期創造社『小夥記』的影子」，個人認為樊善標此一觀察，在日後的香港文學史論述中，可能成為這時期散文的重要論述支點。

上述的「陸港」同步或可以視為兩位編者在導言中的「文化中心」作一旁證，例如《散文卷一》有一篇署名衛道批評林語堂《人間世》的文章，寫於 1934 年 4 月 30 日，當中批評《人間世》:「既有閒，又有趣，出口『幽默』，閉口『小品文化』，高調低調都不來，只求個人的玩世騁懷。」《人間世》發刊於 4 月 5 日，不論是時間和口徑，都和當時上海對林語堂及《人間世》的大量批評同步。這個多少證明了，香港在當時也是文化輿論的戰場。

「陸港」同步或互動有明確的歷史背景，香港文學大系的幾位編者在文章中已經寫得很清楚，在今日社會重視「本土」的聲音下，香港的歷史更需要被清楚了解，才能把「本土」論述的根基打得更穩。《香港文學大系》散文卷茲事體大，兩篇導言和周作人郁達夫所著相比自然克制得多，沒有後者的龍飛鳳舞。不過正因如此，我們對大系的第二輯、第三輯更有所期待，就好像一套系列電影，第一集後，很多的伏線可能會在下一集開花。假如你喜歡看學術文章的高難度表演，則推薦你看《都市蜃樓：香港文學論集》（2010）中陳國球的〈收編香港：中國文學史裡的香港文學〉，內容非常有趣，也有助理解何謂文學史觀。

2014 年 12 月初稿

2016 年 1 月重讀重寫

07 換取的香港文學

《換取的孩子》(*Changelings*)(2000)是大江健三郎的長篇小說,以兒童文學及繪本作家毛里斯・仙達克(Maurice Sendak)的同名作品為引發點。作品以小說的形式思考其摯友伊丹十三自殺的因由,帶有強烈的自傳體色彩。所謂「換取的孩子」(Changelings),其實源於北歐神話,漂亮的孩子被小妖偷走換成木頭小孩,給女巫當作新郎或新娘。這個神話有很多不同的版本,在仙達克的繪本中,小孩的姐姐在家照顧小孩,姐姐不斷吹號角,希望小孩不再哭鬧,不過姐姐吹得太投入了,給了小妖機會,到姐姐發現時,小孩已經被換成冰雕小孩。大江健三郎認為,其摯友之自殺身死,並非如大眾、傳媒普遍認為的原因,而源於一些更深刻的、與童年回憶有關的因由,和他們少年時代的「一件事」相關。我運用這本小說為起點,是由於大江健三郎這種獨特迂迴的思考方式。大江健三郎會嘗試在小說中引入如詩歌、戲劇、繪畫、音樂,但並非單純的徵引,而是把引用之作品提升成小說中的重要意象,甚至是一整部小說的核心所在,如《換取的孩子》、《優美的安娜貝爾・李 寒徹顫慄早逝去》,均可以看到這種手法。

上世紀六〇、七〇年代,是報業非常興旺的時代,也是不少香港文學評論者心中的黃金時代。上有南來老作家堅守文藝陣地，香港戰後中堅世代成長，又寫出眾多重要作品。在今日回看，那並非一個大一統沒有雜音的時代，而是一個競爭激烈同時面向讀者的年代。長青樹如一直以來默默耕耘多年的《中國學生周報》，有四平八穩政見分明的大報，也有具港味而大受歡迎的如《成報》；有比較新穎、激進的雜誌如《70 年代》，也有傾向關社認祖的如《七十年代》雜誌。武俠小說言情小說是市民階層的重要娛樂，而左翼右翼努力在爭取讀者。成長的戰後年輕一代組織文社，自發辦詩會，到香港的鄉野行走，書寫香港不同地方。更重要的是老一輩的南來作家如劉以鬯、徐訏、曹聚仁、司馬長風、葉靈鳳堅守副刊、出版等陣地，給予年輕作家發揮的機會。在這種生態底下，這種動態的競爭下，香港的純文學才有對照反叛的理由，尋找自身聲音的焦慮，才爆發出如也斯、西西等現代中文文學中的頂尖作家。那熱帶雨林的參天巨樹，其實是整個生態系統完整豐富的證明。

也許我們可以運用小說家的思考方式，從藝術作品出發思考問題，借「換取」來思考今天的香港文學與香港文學評論。就像毛里斯・仙達克筆下的流淚冰雕小孩像，今天的香港文學評論是否成了被換取的孩子？真正的生命力已經逐漸遠去。我們不得不去問：它被「換取」成了什麼？又被誰「換取」了？我們又可以怎樣把那「真正的」尋回呢？我嘗試用大江健三郎的方式思考香港文學處境的問題，就是它像一個「被換取的孩子」，香港文學被換取了。我們現在口中的「香港文學」，與舊日的「香港文學」所謂蓬勃生態的美好，或許是同一樣東西。可是實質上它所指的，是一個完全不同的生態。

在這種生態的轉變下文學評論也被換取了。我認為可分成三種文學評論：第一種是給讀者看的文學評論，第二種是給作者看的文學評論，第三種是給評論者看的文學評論。三種之間內在有各自的換取，而三種文學評論之間，也有弱勢與強勢。從前文學評論可能就是給作者看的，可以是一種批評，批評它寫得好不好，或者是一種宣言或指引，比如要大家去書寫一種新的風格，例如寫超現實主義、未來主義等等，帶有指引性。第二種給讀者看的文學評論，多是一種欣賞性、賞析性的評論，他指出作品的值得欣賞之處，希望讀者會去閱讀佳作，或從作品讀出新觀點。第三種是給評論者看的文學評論，可能會是學者、資深評論者的經驗之談，非常準確嚴謹，可是同時具有才情和個性，讀起來不使人覺得枯燥，如夏志清的《中國現代小說史》（1961），就是非常重個人風格的文學史書寫，和今天的文學史寫法很不同。良性的文學評論生態下，給文學評論者看的，是一些文質兼備的文學評論；給作者看的，是一些認真的批評和思考綱領；給讀者看的，是一些有真性情的文學賞析。

然而，香港文學評論被換取了，生態系統破壞了，今天給作者看的文學評論，更多的是寫出來為作者「打氣」，作品也沒有人看，所以寫一篇文章幫他「打氣」、「加油」。給讀者看的評論，更多其實演變成宣傳稿鱔稿。而給評論者看的文章，更多呈現的是一種板滯的狀態，過於重視客觀不犯錯；更有些怪誕的初學者追求有又長又多的附註、很長的參考書目，這是把學術論文中的一些標準，誇張地放到文學評論中去了。現在生產的文學評論，很多時候出現的情況是：除了寫作者看過那作品以外，別人根本不關心你在說什麼，潛在文學讀者看見這種評論就怕怕了。為什麼文學評論會演變成一種大家也覺得枯燥無味、不想去接觸的事？為什麼真正給文學讀者看的文學評論幾乎消失了？文學評論和文學讀者的距離愈來愈遠？

回到仙達克的繪本，那孩子為什麼可以在姐姐的身旁被換取呢？因為姐姐犯了一個錯誤，她太忘形了，太開心地吹著號角，自我娛樂。香港文學評論者，這個號角，是否是時候放下來，回頭看看我們文學生態損失了什麼。在仙達克繪本中，姐姐跳出窗外，運用號角的力量尋回妹妹，最終大團圓結局。這寓言使我不得不去想的，是我們評論者手中的號角怎樣使用的問題。去喚回還在閱讀的人，重建給讀者閱讀的文學評論，爭取讀者，也許是使香港文學生態更健康的一種方法。這個童話最後以姐姐運用號角的力量救回孩子作結。大江健三郎也有在小說的思考中，脫離對死者的傷痛。在小說的結尾，大江健三郎引用了戲劇《死亡與國王的馬弁》作結尾：「死者已矣，忘了吧，就連生者也該置諸腦後。但願你們只把心思傾注在尚未出生的人身上。」我也想用此句作為本文的結尾。

（按：本文撰寫時香港評論學會成立，我為副主席，屬帶有呼告性質的「發刊辭」）

08 王璞的敘事魔術

——讀《故城故事》

《故城故事》（2023）是香港作家王璞書寫的回憶錄。王璞老師2005年從嶺南大學辭職。我是她最後一屆學生，這些年來一直有追讀她的作品，也借此機會跟讀者談談這本書。

王璞是香港文學中存在獨特的一位，她好似活在所有定義的夾縫中。她在八〇年代末移居香港生活，但說成是「南來」作家而忽略了她原來是香港出生的本地人。可以肯定王老師是香港作家，但她的主要生活經驗來自中國內地的大江南北，對香港的觀察往往帶有異地感。另外，她基本上不說粵語，生活中也沒有什麼「港味」；但有時候卻比身邊的香港人對香港懷有更多的樂觀與同情。

以《故城故事》為例，書中分為三部分，第三部分寫的就是香港。這是她初來香港求存立足的故事，但其實她真正關懷的是身邊的人。她在香港不同的社區中租住舊樓房，有牛頭角、北角、天后、土瓜灣等。她把這一段時間的經歷書寫成一幅群像畫：（例如）記下了更早南來的報社大班、嚴厲又關懷的上司、福建來的鐘點工、柬埔寨逃難來的健壯小伙。作者沒有寫太多自身的甘苦，在自傳體中保有小說家獨特的敏感，記下了那些「被侮辱與被損害者」；也側寫了高度發達的香港於九〇年代初，繁榮盛世的另一面。

自傳或回憶錄，不免要「從頭說起」。而作家的童年回憶，一直是文學研究的重要參照點，王璞身兼作者與文學研究者兩個身份，所以這部回憶錄，不時有自我剖析的段落。這就和「文革」後中國當代文學大量以自傷或控訴為主的「傷痕」文學，完全不一樣。她寫的長沙，著眼點更多在身處苦難的成長環境，怎樣熔鑄了她的獨特性格。王璞要是用魯迅的言語形容，可說是個「獨異」的人，而作家自己其實很清楚這點。

但怎樣把這份特殊表現出來呢？我相信大部分讀者都會給王老師敘事的魔術迷惑了。她筆下的長沙是一個高度風格化的哥德式迷宮：在她的《散文十二講》（2003）中，曾經解釋過各種敘事的手法，更點出史提芬．京是敘事的高手。

《故城故事》的第一篇，就已經充滿恐怖感，滿有驚慄小說的味道，初讀不以為然，但這種氣氛，其實不時出現在她的小說中。王璞是烘托氣氛的能手，而這書佳處在回憶錄的結構中，可見作者沒有放棄小說家的身份。那些已經消失了的長沙地標，沒有岔路的死巷，長沙文夕大火的遺址，半夜抄家的聲音。細節都是真實，排列全是藝術。

中國的八〇年代是不少文化人心目中的「黃金時代」。在中國改革開放以後，各種新思潮與想法在文化圈子中爆發。中國當代文學在各種思潮、論爭中爆發出大量出色的文學作家與作品。其中一個重要原因，應該和「文革」後恢復高考有關，這亦造就了幾代人才集中在一個年代，今天回看，確實是風雲際會。我的兩位老師，許子東與王璞，都在這時期就讀於華東師範大學。在王老師的回憶錄《故城故事》第二章中，她就描繪了華東師範大學的氣氛，也寫到她壓抑的青春怎樣一步步得到釋放，這可能是全書最流露個人情感的一章。她這樣寫華東師大：

> 八〇年代的中國大學校園，經歷著一場空前的思想解放熱潮，而華東師大則是學界中思想解放的重鎮。中文系又是重鎮中的重鎮，聚集了一大批活躍在全國思想文化界的青年才俊。

她寫到她第一次穿上牛仔褲的自由與快樂，與及這情緒所代表的意義。她也寫到第一次參加舞會跳舞及其意義。閱讀時你會感覺到那些「生的喜悅」，但同一時間往事的壓抑又好似幽靈一般令她自我懷疑。先是否定新事物，好奇又再嘗試，這些心理的細節，都給王璞寫活了。第二章的成長、愛情、思想衝擊，都是全書最靈動的部分。王璞自言是個「活著就是為了述說的人」，在上海的這段青春歲月，顯然是極為珍貴的回憶。

09 劉紹銘教授與我

那是「沙士」剛完結的時代。記憶中劉教授是非常瀟灑的，他在戶外時戴上墨鏡在嶺大校園行走，遠遠就能看到他。當時我們喜歡反烏托邦小說，「發現」了《一九八四》（1991）是劉紹銘翻譯的，但在香港買不到。於是有一次鼓起勇氣在路上問他有沒有《一九八四》。

「《一九八四》已經冇得買，我自己都冇，你知啦我都唔需要睇。」

對大學時代的我們來說，真是型絕。

劉教授的課堂對我來說是很吸引的，是那種充滿「洞見」的課堂，而且非常有「趣味」。例如教夏志清的《中國現代小說史》，說到「感時憂國」精神，劉教授會說現代文學是「涕淚交零」。說到《駱駝祥子》（1939）則要我們留意對祥子肌肉的描述，認為「外在與內心的枯萎相一致」。

劉教授的中國經典小說課，對我來說則更是著迷。我大學以前從來沒有想過「三言」中有這麼多精彩的小說，並一直以為「三言」就是舊小店中永遠沒有人買的厚裝舊書。劉教授帶我們細讀〈蔣興哥重會珍珠衫〉、〈賣油郎獨佔花魁〉、〈俠女〉、十五貫、杜十娘、白娘子等等小說。教授以角色為解讀核心，並以「類型」方式為小說分類，再在不同類型例如「痴情男女」、「離合夫妻」、「薄倖郎」等之上觀察人物的描繪與話本小說系統怎樣作道德判斷。我當時就覺得是開腦的讀法，後來漸漸亦成為我自己讀小說的方法了。

學生面對劉教授時有點緊張也是自然的，因為他上課很嚴格，例如上課時同學不能說話，如果犯規，他亦真的會罵人，我也被劉教授在課上罵過。記得劉教授當時正講解〈十五貫戲言成巧禍〉，就提到說書人的敘事者功能。故事有言「若是說話的同年生，並肩長，攔腰抱住，把臂拖回，也不見得受這般災悔！」指出這處顯示作者對角色的強力同情。我和同學就笑說覺得這是相當 Cult 而且前衛的表現手法，當時就被劉教授罵了我們課上說話了。劉教授也很重視教育，知道教育可以改變人的生命，所以希望我們珍惜機會，這其實是老一輩教育家的風範；在今天「待客至上」的大學校園，已經近乎完全不可能了。

劉教授會在每門課的第一堂課叫我們買書，例如《中國現代小說史》、《中國經典短篇小說精選》（2002），更叫我們記得買黃繼持教授編的《魯迅卷》（1994），他說：「這本不會全本都教，不過這是你們能買到最好的魯迅文集，而且黃繼持剛走。」結果多年過後這些都還是在我手邊，會反覆閱讀的書。因此我也開始發現劉教授編、譯、著多種書籍。因為有追讀自己所有老師著作的習慣，也因此「發現」了二殘的種種香港筆記，和他編的香港散文集。

我認識董橋基本上就是通過劉教授介紹的，〈文字是董橋的顏色〉（2001）是劉教授介紹「小董」的名篇。在「白天應卯」中劉教授寫到董橋在書信中用「應卯」表示上班「打卡」，教授為之絕倒，這些都是劉教授點評作者的精彩一筆，而且令人永遠記住。介紹杜杜《住家風景》(1979)，劉教授點評：「所收的方塊文章，論題目大小，確也雞毛蒜皮，幸見感情真摯，文字溫潤如玉，讀來不覺繁瑣。」三言兩語，已經盡得杜杜佳處。

本文叫作「劉紹銘教授與我」，也是來自劉教授、也斯老師、子東老師合編的《再讀張愛玲》(2002) 一書，這書是 2000 嶺大張愛玲研討會的論文集，劉教授序中提到哈朗・卜倫的《影響的焦慮》(*The Anxiety of Influence: A Theory of Poetry*) (1973) 一書，他非常有趣地翻譯成「師承的焦慮」，並說這會議就是探索張愛玲與張派作家的研討會。但劉教授寫評論家硬說其他作家是「張派」，大談師承可能不太好，於是就照許子東的建議，把作家談張愛玲的一節會議從「師承的焦慮」改成「張愛玲與我」。我博士研究周作人與香港散文，其實問的問題也是「師承的焦慮」，或者問「周作人與我」，同樣也脫不開老師們的框架。

劉教授是王德威那一輩大學者的老師；能在劉教授於我海外榮休之後，晚晴之時，教我輩嶺南學生，那是我的光榮，但說我自己師承劉教授，那當然焦慮得不行。回想有關劉教授的事，都是一些斷片。讀書時並不知道，到時日過去才知道那些良善的影響來自於他。劉教授在嶺大退休時，學生買了花送給他，他收到時說了四個字：「人間有情。」感謝你。

10 許子東與他的現代文學課

《許子東現代文學課》（2018）是一本記錄許子東教授的現代文學內容的書，收於「經典課堂」叢書中。這本書簡言之是課堂內容筆錄，記錄他在嶺南大學中文系現代文學課的講授。這種書類型特別，可以當成是非常實在的課堂教材，把他說成是某一名家集大成專書亦未嘗不可。好似許子東現代文學課，把他說是迷你現代文學簡史，都能說得通。

所以書本身已經有課堂的結構，閱讀時能有系統地理解中國現代文學的重要課題，同時，子東老師上課時的佳處，經過筆錄而成文字之後，在本書中也還是保留了不少。例如子東老師的強項是條理線索清晰，一看上去以為是閒談格式，其實核心重點一步步開展，閱讀時很容易有得著。另外則是說話時現場感、歷史感很強，說到重要文學事件、文學流派的細節等，總能以一個關鍵場景或和線索貫穿人物，令人很容易把握。第三則是對作家評價簡練而精確，往往聽他一說，就再難以忘記。例如說張愛玲：「魯迅是一座大山，後面很多作家都是山，被最高的一座山的影子遮蓋了，但張愛玲是一條河。」我在課堂聽過後，二十年來從未忘卻。

書中也有一些內容，是當年沒有聽過的，這也是想當然，課堂內容不斷更新，每年都不一樣。但這本書來自現場錄影，我也大膽推測，會不會有鏡頭效應，記錄了更多他的個人感受，例如他這樣說：「我喜歡魯迅，甚至超過我有專書研究的郁達夫和張愛玲。我讀魯迅，是在人生非常艱苦的時期。痛苦經歷了，『奴隸』也做了，在社會底層生活，才有點理解魯迅。」學者其人其言其文，也是時代的印記。

11 劉紹銘、馬幼垣與他們的經典小說課

《中國經典短篇小說精選》分為上、下兩冊，是由劉紹銘與馬幼垣合編的古典小說集。想閱讀中國古典的敘事作品，最大的困難莫過於文本數量太多，不知從何入手。今時今日，網上要找到文本不難，難在面對成千上萬的名單，單從標題，根本無從選擇想讀的作品。本書從筆記、傳奇、變文、話本及公案五種敘事文類中，共精選出六十一篇中國古典短篇小說。本書有趣之處，在於按人物類型作依據，組合成不同主題單位，這樣讀者就很容易按文類選出他想看的文本。

大學時代上過劉紹銘教授的中國經典小說課，也上過馬幼垣教授的水滸傳課。上文提到，我在大學以前，從來沒有想過「三言」中有這麼多精彩的小說，並一直以為「三言」就是舊小店中永遠沒有人買的厚裝舊書。難怪人們會說經典就是眾人都聽過，但就是沒有人真正拿起閱讀的書。

不過這部經典短篇小說當中有不少故事，被改編成電影或是戲曲，其實一直沒有被遺忘。例如唐傳奇〈虯髯客傳〉，可能不為人所認識，但說是《風塵三俠》，則不少人看過它的影視改編。這部選集也有看回原著的方便，不少故事其實並不陌生。

這部由劉紹銘與馬幼垣合編的古典小說集，可說是我們進入古典小說世界的綱領。劉教授帶我們細讀〈蔣興哥重會珍珠衫〉、〈賣油郎獨佔花魁〉、〈十五貫戲言成巧禍〉、〈杜十娘怒沉百寶箱〉、〈白娘子永鎮雷峰塔〉、〈俠女〉等小說。他講課時喜歡以角色為解讀核心，並以「類型」方式為小說分類，再由不同故事類型，例如「痴情男女」、「離合夫妻」、「薄倖郎」等之上，帶我們觀察小說對人物的描繪，也去看話本小說系統怎樣作道德判斷，從中看到明清時期的人情道理、社會倫理是怎樣的。我當時就覺得是開腦的小說讀法，後來漸漸亦成為我自己讀小說的方法了。

例如劉教授講解〈十五貫戲言成巧禍〉，就提到說書人的敘事者功能。故事有言「若是說話的同年生，並肩長，攔腰抱住，把臂拖回，也不見得受這般災悔！」並指出這處反映作者對角色的強力同情，作為一種使用「說書人」介入敘事的方式。在閱讀表面老派的說書人話本時，更能發現到當時說書人為了小說的藝術而努力的匠心。

12 陳滅的狂狷之歌

陳滅紀念學校

「陳滅紀念學校」是一所已經關閉的學校，我是在這學校認識陳智德的。在嶺南大學讀書時，有一段時間，我日間聽陳智德講授的創作課，晚上則在陳滅紀念學校讀陳滅文存。在這個網上世界，他把自己的文學園地叫作「紀念學校」，文集稱作「文存」，兩詞都帶有死亡氣息，但詩人自覺雖死尤值得記憶與保存，顯然陳智德對「陳滅」有信心，相信還是有價值。

在 2006 年陳滅紀念學校網頁的自我介紹是這樣的（現在網上已經看不到）：

陳滅紀念學校附屬校外持續進修專業社區學院開辦：兼讀副文憑／副文憑先修／銜接副文憑證書／修課式後副文憑證書／遙距函授副文憑基礎培訓證書／非牟利自負盈虧英語授課榮譽學位／日間短期海外交換成人自資文憑後證書／半年制全球認可 Top-up 後副文憑先修自資榮譽副學位

徵聘：

超短期合約授課導師 Ultra Short Term Fellow（多名）

客席售貨導師 Visiting Sales Fellow（一名）

* 本學院將於 2046 年，當香港中學由四三三轉四四二再轉為四三〇學制時，升格為香港第一百零八間大學

在今日香港看來，這段介紹自然更耐人尋味。在這帶有自嘲和憤怒的介紹下，我們可以感想到陳滅的內在世界和他身處的外在世界處於一種張力的關係，在推拉往復中，陳滅感到的是外在世界中市場無處不在的力量，一種無論怎樣被消滅都會反噬一切的力量：

市場去死吧但市場轉瞬又反彈

所有壞消息市場都消化了

文學是賣不出的叉燒很容易理解

但什麼是荒謬？是怎麼計算的？

市場去死吧但市場反覆偏軟又向上

只有預繳已經透支的生命

惚恍身軀經過入閘機時好像聽見

市場，去死吧！

但市場把去死又附送兩倍優惠回贈給你

——陳滅〈市場，去死吧〉

其實這並不真的很難理解，因為這首 2006 年發表的詩作，其實甚為準確地形容了我們後來經歷的 2008 年全球金融危機和後來的「量化寬鬆」。陳滅很憤怒，憤怒也許很容易，但憤怒的同時他的文字又很準確踏實，這就不簡單了。陳滅不是一位憤怒的詩人，而是一位狂狷的詩人。「不得中行而與之，必也狂狷乎？狂者進取，狷者有所不為也。」狂狷是一種進取的異端，有所不為的叛逆，不是一種簡單的青春、怒憤，激越的感情背後是對世界清明準確的判斷。如在〈明天的開關：回歸十年紀念之四〉，他把有毒食物與部分人對抗議的反感合起來寫，從反感抗議為毒起轉寫由抗議所展現的藏在社會背後深處的毒。並置能飲有害的酒精與能消毒但不能飲的滴露，展示了作者駕馭多層比喻的能力。最後寫通了食物與政治兩個香港人所關心的課題：

食物如同一切抗議都有毒，到那裡去購買

一種國際的語言？到那裡去尋求

一滴錯誤的酒精、一瓶味苦的滴露？

但判斷對了又如何呢？文字的力量又有何用呢？現實世界不會有任何改變，所有的努力都在消解。就如陳滅紀念學校右邊放置的一幅 GIF 小動畫，一個不斷推石的西西弗斯。有時陳滅的想法看起來真的很消極，如在詩集《單聲道》（2002）最後一頁的斷章中：「起初總是那熱鬧的聲音，/ 然後逐漸沉寂。/ 事物的趨勢總是如此。」

我還記得智德老師在嶺南的課。當時也斯老師講香港文學課，邊踏步邊思考講開去，偶爾有個作品的年份或作品名忘記了，也斯瞄一瞄坐在前排的陳智德，他就會立即把答案準確補說出來，一整個學期如是。那時創作課帶我們到西新界考察，我們幾個同學和智德坐在一架小包車中，智德講嶺南舊事，講得很有趣（是會有些文學笑話太深奧笑不出來）。後來一班人吃飯時，智德往往是興致最高的人，酒一喝了話更說得開，說的都是真誠的話。我是在說我認識的，十年前的智德，還會對我們學生展露那真誠的鮮明的狂放的易受傷的一面。那是一種相信人善性的表現，這樣的人不會只有消極的一面，冷灰底下還是有溫熱在。但，那時有些同學不喜歡他，說他教書很悶等等，我當面就說不同意，讀中文系的人也不一定真正喜歡文學，不喜歡文學的人又怎會認為智德有趣呢？市場的力量無處不在，學校也一樣。所以，讓市場，去死吧！是憤怒之音，也是希望之音。

13 接續碎散的香港

——評陳智德《地文誌》

句子飄流街上，車子和人群衝擊字粒碎散，碎玻璃路上，也斯正等待我，把碎散句子接續。

——陳智德

學者陳潔儀在《香港小說與個人記憶》（2010）中提出「症候式閱讀」，這方法使我著迷之處，在於她為讀者提供了一個與作者一起共同建立意義的可能。那個顯現的「症候」，那些碎片，在等候著我。

書評往往要指出一本書的獨特之處，雖不能說後無來者，最好能評之為前無古人，不過說陳智德的書獨獨不行，他念舊。如果我說一種文學技法是新的，智德大概會這樣回應：「卓然，你也說得對，不過其實我們可以找到這技法背後的文化傳承……比如在五六十年代香港的……如果我們再看早點，甚至可以上溯到上海孤島時期的……」他慢慢談開去，愈說愈起興，一點點連起，鈎連成一張張文學傳承之網。

但我還是要說明此書的突破之處。《地文誌》（2013）以一種「追憶」的方式，以「地緣」為連結，寫出一個文藝的香港。因以追憶為結構，歷史與事件自然能突破流水帳編列的呆板作法，而用人與人、人與書、人與事件的連結為書寫脈絡。地方是人與世界交接互動的基本場所，地緣之連結，則為散文經緯之主軸，智德把個人感性記憶、文化場域記憶與時代記憶給編織成型，地緣就如飛梭之於絲線，結合成見形勢有圖景的立體織繡。

這種寫法實行起來非常不容易。一則他要求作者具有一統敘事、議論、個人回憶等不同氣息的文字功力，務使每節兼有各種元素時，保持每段意旨清明。二則要求實事實寫，大小事情皆有來歷，文章細節均難以敷衍生造，文路就是生活的足印，這種文章很難多寫，更不能說寫就寫。其三，也是最不能控制的，是他同樣要求讀者對香港、對文學具有真正的興趣，不是單純的文娛康樂，而是知識分子式的關懷。我們對此書或愛之或無視之，不關心香港的人，是無法進入此書的。

這當然是一種散文藝術上的突破。不過我想，智德還是會這樣去回應：「卓然，不過這種寫法其實也是有來歷的。說到把抄書引文發展到表達個人感情意志，有三十年代周作人的『文抄公』體。五十年代葉靈鳳的香港掌故，寫地方時有妙趣，兼有歷史價值。曹聚仁在五六十年代寫的《文壇五十年》（1954）、《上海春秋》（1962）、《我與我的世界》，就能把文學史與地方記憶、人物誌等結合，文字精到，以少許勝多許。侶倫的《向水屋筆語》（1985），尤其是寫到舊啟德海濱一節與葉靈鳳的交流，不就把個人歷史與時代變幻熔於一爐？卓然你喜歡寫九龍城那一篇，喜歡在城寨看牙醫那一節，看《舊時香港》（2002）、《吃馬鈴薯的日子》（1970），劉紹銘也曾寫到過，可說是歷代香港人的共同回憶。把自傳寫入大歷史，也是文人的一種共同情懷。至於關注地方的文化藝術，也斯一直努力了幾十年，遊台灣的《新果自然來》，遊大陸的《昆明的除夕》，還有《也斯的香港》。我們也許可以把這書單，繼續開列下去……」

作家滿眼都是那些碎散的句子。轉益多師是汝師，蕭條異代不同時。智德的「症候」，是無法根治的病。那去記下那些浮世無法保持的珍貴素質的意志，終將會被證明是非常重要的事。

14 香港文學研究視域的開拓
——讀鄭蕾《香港現代主義文學與思潮》

獨特的香港現代主義

《香港現代主義文學與思潮》（2016）一書來自鄭蕾的博士論文研究成果，討論香港文學研究當中「現代主義」文學此一重要研究課題。本書大致分成從「文學場域」、「評論思潮」、「創作觀念」與「作品實踐」四個層面作討論。主要討論到崑南、王無邪、葉維廉、李英豪、蔡炎培等香港土生土長的現代主義作家。

對於現代主義，鄭蕾在書中有言「在文學史的版圖上，它僅僅標誌了一種已經過去了的價值觀，甚至是一種被建構出來的歷史」。這在某一程度上是實情，今天的好一部分讀者更習慣於懷疑敘事者、善於思考動機，現下的文學創作如果還有像《尤利西斯》（1922）般如此鄭重地探索內心自我，或者如現代主義不少經典作品般對人的存在作如此悲劇性的拷問，可能反而會被誤讀成諷刺作品也說不定。

不過我當初接觸現代主義時，也是如此一本正經的。中學時為了要進入文科的世界，在公共圖書館偶遇《酒徒》（1963），再帶著修行的心順著酒徒的書單閱讀中外的文學作品，再一步步接觸現代文學的世界。在我心目中，接觸現代文學和接觸現代主義文學是同步的。再準確一點說：香港文學、現代文學與現代主義文學，在我文學啟蒙期最初而言是三而為一的事。而在類型小說以外，我最初的香港文學啟蒙就是劉以鬯的《酒徒》以及當中的現代主義。

在嶺南大學讀書時，也斯花了很多功夫一步步向我們介紹香港現代主義文學，講到三〇年代的上海新感覺派，日本與法國的現代主義文學思潮，四〇年代的中國現代詩，五〇、六〇年代香港眾多的現代主義文藝雜誌，為我們介紹了一個豐富、多元的現代主義文學世界。當然我也一步步把例如《惡之華》（1857）、《尤利西斯》、亨利・詹姆斯、吳爾夫，以及眾多的現代主義作品一本接一本而似懂非懂地讀完，慢慢對香港文學中的現代主義有了一個比較立體的理解。

跨學科方式理解文學生成

現代主義是世界重要的文學思潮，亦是五〇、六〇年代港台兩地重要的純文學思潮，香港的現代主義文學並非孤立存在與誕生，而是香港文學和世界文學與中國現代文學互動的結果。經過眾多前輩的研究，大致的發展過程在香港文學界算是有了初步的共識。不過進一步研究肯定是必須的，所以當我知道鄭蕾展開香港現代主義文學研究，並打算從「香港現代文學美術協會」入手時，我是欣喜她找到了一個非常好的切入點。因為這必定會開拓更新我們對香港現代主義文學發展的論述。

在書中其中一個突出點，就是他把崑南、葉維廉、王無邪、李英豪、呂壽琨、盧因等作家置於香港現代主義文學思潮的中心作討論，鄭蕾認為：「南來文人帶來文化資源和知識架構，帶來中國現代主學傳承與未竟的問題，但只有到了崑南他們的手中，『中國的香港』才置換成『香港的中國』，得以從既定的框架中抽離，面向香港社會現實，從而面對新的歷史語境發聲。」

上述的觀點有它的新意和啟發性，此一研究角度的好處是凸顯了「香港現代主義文學」的主體性，與總體香港文學研究對五〇年代的香港文學的主體性的探索一脈相承。第二是此一研究把現代主義文學的探索置於香港現代主義思潮的框架下作探索，把葉維廉、李英豪的文學評論、王無邪的畫與畫論一起作討論，能把當時的文學觀念發展與更廣的文化藝術思潮一併討論，也是很有新意的做法。

鄭蕾認為：「對於此群在本土出生，在英文書院受教育的『番書仔』來說，以下兩點是可以肯定的：所謂機運，實際上是他們在相對開放的環境中和延續的文學傳統下，渴望超越五四以來文學模式之影響的焦慮；其二，則是由殖民地教育決定的閱讀能力給了他們直接面對西方文化的『入場券』，從積極的方面考慮，這正是崑南所談的第四點優勢所在。而這兩點，亦是這一代年輕人與老一輩的『南來文化人』的不同之處。」在香港現代主義文學研究中，劉以鬯對香港的現代主義的重要性應該並不止於一個「南來傳承者」，他對香港現代主義文學的重要性也絕不在香港出生的作家之下。而單以外語能力而論，當時以在香港受「殖民地」英語教育的「番書仔」與三〇年代的上海來自英美法俄日等留學生比較，甚至乎劉以鬯、馬朗等人在上海所受的外語教育對比，不見得香港的英語教育有何超越之處；也不見得以此能充分說明香港現代主義的獨特美感與特性的來源。我相信鄭蕾的此一本書是她將來更廣闊的研究的一個起點，並認為香港現代主義文學研究，尚有很多可發掘的空間。

15 老舍的〈斷魂槍〉
——給命運擊敗的人們

老舍的〈斷魂槍〉是老舍的一部短篇小說，坊間非常容易就找得到，大約5000字，很容易就能讀完。老舍最有名的作品，是小說《駱駝祥子》與話劇《茶館》(1958)，都是二十世紀中文文學中的優秀作品。大學時看《茶館》就覺得很好，《駱駝祥子》當時看不怎麼樣，現在人愈老愈覺精彩。

這小說在某種意義上也可以說是武俠小說，講述一個功夫高手鏢局鏢頭神槍沙子龍的故事。故事也很簡單，說他的絕技五虎斷魂槍聲名在外，當然鏢局在洋槍大炮下已經沒落轉型為客棧，從前鏢局的伙計用他的名字賣藝為生，結果吸引到一位老者打算挑戰，輕易打敗伙計王三勝，當讀者與伙計都以為兩者會有一場決戰。沙子龍只是一心請吃飯送禮，竟然逃避不交手。最後大家都傳聞沙子龍已經不行了。但最後「夜靜人稀，沙子龍關好了小門，一氣把六十四槍刺下來；而後，拄著槍，望著天上的群星，想起當年在野店荒林的威風。嘆一口氣，用手指慢慢摸著涼滑的槍身，又微微一笑，『不傳！不傳！』」

小說寫的是：真正擁有天分的人，卻給命運或是時代所擊敗，應該怎樣自處呢？駱駝祥子過不了這關，反而鬧著玩的沙子龍忍耐得過來。你身邊總有鬧哄哄的人想你出手，總有人想跟你比較。那意義在什麼地方呢？可能在於你自己有沒有認真對待你自己的技藝，那不為什麼，沒有得失利害，單純的技，才是沙子龍安身立命之所在。

16 視野廣闊不偏食的香港文學館

《文學看得開（作家篇）》（2022）是鄧小樺、米哈、甄拔濤、黃嘉瀛、鄧正健、紅眼等著的文學概論書，從普及的角度向大眾推廣文學閱讀。鄧小樺是香港文學館的總策展人，此書也可見香港文學館文學視野之開闊。

本書分為「中國古典」、「當代文學」、「日本文學」與「世界文學」四類，共有 36 篇文章。本書重視文學欣賞，分類從作者興趣出發，與一般文學史重視體例秩序的手法有所不同。從目錄分佈，此書重視古典、當代與日本文學，也可見選題甚為重視亞洲的滋味。

以現代中文文學為例，本書的講題有沈從文、蕭紅、張愛玲等，都是現代文學中重要的正典作家。閱讀現代文學的一大好處，是能習慣把握更優秀的中文，不時有學生問我怎樣提升中文能力，而閱讀優秀作家的作品永遠是最好的方法。此書介紹的作家，不少都是老少咸宜，非常適合對文學有興趣的年輕讀者。例如劉以鬯、葉靈鳳、殷海光等，讀者如果跟從本書追蹤閱讀，必能浸潤在好的文字當中，亦能從中感染到上述作家的創意、廣博、耿直與細膩。

閱讀古典文學亦是好方法，本書介紹的李商隱、李煜、辛棄疾、李清照與納蘭性德，都是文字深遠有回甘的作者。不過，文言文對新一代讀者來說也愈來愈困難，此書的另一好處是擁有選得不俗的延伸書目。例如辛棄疾一章就選了學術大家鄧廣銘與葉嘉瑩的書供大家參考，都是學術上非常優秀的好選本。

此書的世界文學部分也很有意思。中學時修讀中國文學，就覺得閱讀世界文學時能感受到自由，因為沒有東西需要抄寫和背誦，閱讀可以是很純粹的享受。本書的日本文學一章介紹了芥川龍之介、川端康成、太宰治、三島由紀夫、大江健三郎、村上春樹等作家，對普通讀者來說已經蠻完備，如加上夏目漱石與遠藤周作，大約可當成是日本現代文學簡史了。中學時期閱讀川端康成，就能感受到日本獨特的美感，就算經過翻譯也能感受得到。村上春樹和大江健三郎在《一分鐘閱讀》也經常提到。村上春樹的部分甄拔濤寫得很好，大家可以讀一讀。

世界文學介紹了莎士比亞、契訶夫、羅蘭・巴特、卡爾維諾、卡繆等作者，介紹深入淺出，對讀者很友好。在大學時讀了朱生豪譯的莎士比亞戲劇集，驚訝於所謂的經典原來絕不難讀。契訶夫總能在表面的幽默中，給予他筆下角色深刻的同情。此書能引領讀者閱讀這些名家的作品，幫助很大。本書介紹了史提芬・金亦是很有意思的選擇，史提芬・金可說是當代最懂得如何說故事的人。他談寫作的書《史蒂芬・金談寫作》（2000）更是有志寫作的人不得不閱讀的一部好書。讀者要找他的小說改編電影來看亦很容易，可說是最容易入口的文學作家了。

17 周作人雨天的小確幸

周作人的《雨天的書》是一部自編散文集，初版於1925年，是中國現代文學時期重要的散文集。周作人是中國現代文學時期最重要的散文作者與文學評論家之一。從《新青年》時代開始，周作人與魯迅一直是文壇重要力量，也是五四時期新文化運動的重要推手。五四一代的知識分子處於新舊交替的關鍵時間。

在二〇年代初，中國在文學語言的領域，還是在白話文與文言文的競爭當中。究竟白話文能不能完全取代文言呢？文學創作實踐就成為一個試驗場，而周作人就是散文方面的重要奠基者，去證明白話文也能這樣寫。

他主張文學的藝術價值在於「言志」，推崇平和沖淡的散文風格，並將這種美學實踐於個人創作中。《雨天的書》中不少重要文章寫於1923年，是周作人平和沖淡式風格建立的初期，散文〈北京的茶食〉、〈喝茶〉、〈蒼蠅〉就是寫於這一時期。試選讀幾句，例如他寫喝茶：「喝茶當於瓦屋紙窗下，清泉綠茶，用素雅的陶瓷茶具，同二三人共飲，得半日之閒，可抵十年的塵夢。」

寫小吃：「我們於日用必需的東西以外，必須還有一點無用的遊戲與享樂，生活才覺得有意思。喝不求解渴的酒，吃不求飽的點心，都是生活上必要的——雖然是無用的裝點，而且是愈精煉愈好。」

可以說把閒適氣氛完全的表達出來。

這部散文集最早的文章寫於 1923 年，這對周作人來說是人生重要的一年。最為人所觸目的，應當是 1923 年 7 月 17 日前發生的魯迅周作人失和事件。在北京八道灣十一號，兩兄弟失和，之後魯迅搬離了此處，對兩兄弟來說都是重要的轉變。因何原因失和，沒有任何確實的答案。周作人當日的日記被剪去，魯迅也沒有述及，各位也不用找那些八卦來看了。但對周作人來說兄長的離開絕不好受，他的女兒若子的病也是斷斷續續。所以《雨天的書》不少文章有閒適瀟灑的味道，閱讀時卻絕不能忘卻當中的苦味。

在《雨天的書》中周作人重視的是地方之美，認為書寫各種地方風土，能顯現出中國文化獨有的趣味。這相對於五四初期過分重視西化，視大部分中國傳統為有害，是一種進步。而周作人認為傳統中國的生活本身就具有美感，在〈生活的藝術〉中，他這樣寫：「生活不是很容易的事。動物那樣的，自然地簡易地生活，是其一法；把生活當作一種藝術，微妙地美地生活，又是一法：二者之外別無道路，有之則是禽獸之下的亂調的生活了。」所謂微妙地美地生活，可能與今天不少人口中的「小確幸」有相通之處也說不定。

18 杜杜的人生風景

杜杜這個名字令我想起一種鳥，一種不會飛，走著自己的緩慢步調，不怕人，向人類示好，最後卻給人殺戮淨盡的渡渡鳥。好了，今天我們談的不是「渡渡這種鳥」，我們來談談的是杜杜這位香港作家。

杜杜，早在六〇年代便在香港寫稿，也編譯過不少與電影相關的文字，在《中國學生周報》上作了不少有意思的專訪。年長的朋友應該還記得《大拇指周報》，杜杜也曾在《大拇指》當過一年多的電影版編輯。杜杜還在九〇年代寫了很多和飲食有關的散文，他在《明報周刊》寫稿，差不多每年都結集成書，文章既談飲食又談藝術，很好讀。你看，他可說是一位「文藝青年」吧。

但這位應該帶點叛逆味道的浪子卻結婚了，先生了一個男娃，再生了一個女娃。這不像電影，主角不是浪子，不算激情。這位「文藝青年」，便寫下了《住家風景》。

《住家風景》是本隨筆集，寫的自然並非「人生大事」，而是寫一個尋常住家男人的家庭生活。這位喜歡歐洲電影、愛好俄國小說的作家，把種種人人如此的凡人生活經驗，轉化為不朽的文字。為什麼是不朽呢？因為《住家風景》，這次已經是第三次改版了。一本書能不斷「輪迴再生」，總是有能吸引讀者的地方。

隨筆文字，最依靠作者以個性經營，所謂見文如見人。當他寫「至於我老婆，越來越發福。我現在也認了命，索性拖著她通街跑，逢人介紹，自得其樂」。或是看他寫家中街上各種人情小事，看老婆小女打韆鞦、注意到街上的一隻飛蛾。我便相信，張灼祥寫杜杜愛穿著日式拖鞋在街上隨意走，隨意閒，是個事實。他就是這種外表木訥、內心敏感的人。

杜杜善於以小見大，但尋常家事，多看也會乏味，杜杜卻越寫越渾厚，說到底大概是因為他文字的味道。杜杜是個教師，說到小孩子成長的種種，便寫道「上課的時候，不為什麼，有時候可講一個笑話，哼幾句歌」。文字充滿節奏感。杜杜不常工筆細寫，但總能在三言兩語點出情景的佳處，他寫和孩子玩樂:「叫東東替我拿本書，他故意拿了個玩具膠桶來，還問:『是這本嗎？』說完哈哈笑，和他妹妹扭成一團。晚飯後，我教他們填色，或者摺一隻豬頭。」你也會會心微笑，只要你懂得小孩。

《住家風景》受人歡迎不是騙你的，這隨筆集還曾改編成電視電影。散文集改編是很少見的，那麼演這位「電影主角」杜杜的又是誰呢？很難猜到的，是黃子華。年青的他演兩個孩子的父親，也算演出了家庭的溫暖。那麼演杜杜的好朋友的是誰呢？不會是張達明吧？你說對了，想不到這對「棟篤笑」組合，第一次合作，就是在《住家風景》。

寫書評前重讀此書，給朋友看到，竟把書搶了去還說「幾好睇」。好書的命運應該如此。

19 記第十六屆聯校文學創作比賽得獎作品觀摩會

《第十六屆聯校文學創作比賽文集》是由協恩中學的師生努力編成的，是一部記錄中學的聯校創作比賽得獎作品的文集。這個比賽的連線人是協恩中學的劉智勇老師，多年來的活動顧問是香港中文大學的何杏楓教授。這本小書並沒有公開發售，大家不一定能看得到，但這次比賽中同學的活力令我記憶尤深，值得把他們記錄下來。

其實高中學生甚至是初中學生的文學作品，不一定比成年人差，不同年齡而來的獨特視覺和聲腔，對成人世界的我們也可以是一種反思。例如微型小說高級組冠軍陳天穎的〈幸福販賣機〉，就寫一個因意外失去女兒的父親的心境，感情純粹而真誠，讀來感人。評判黃怡稱許作品「意念獨特，相當精彩」。

另外很好讀的是高級組散文〈近來，我們家來了隻白鴿〉，是盧言哲的作品，他一開始創造懸念，寫窗外忽然有一隻鴿子在築巢。本應為家中帶來不少不便，父親卻堅持要保護、善待鴿子。到最後通過祖母才知道這是父親的童年傷痕。文章坦率輕快，很好看。評判黃淑嫻教授稱許作品能「寫出個人感覺同時又能帶出家庭故事」。高中同學就能有登上大舞台，作品能讓別人看見，必定對他們的人生大有幫助。

月前舉辦的得獎作品觀摩會，就給劉老師安排成非常有意思的活動。作家與學者列有梁硯奴、何杏楓、袁兆昌、麥宇翰、飲江、黃怡、劉偉成和羈魂，都是曾經參與這個計劃的專家。我最喜歡的是不少同學用話劇的方式把他們的得獎作品演出了一次。這種表現方式把同學的作品演活了，也大大加深了作品的表現力。微型小說初級組陳穎敏的〈一念〉，她的演出就使我記憶猶新。小說本身參考劉以鬯〈打錯了〉的結構，但初中同學的視角卻令人看到人性善良美好的一面。她寫到一念之差，有沒有多走一步，幫助不太相熟的同學，可能是拯救生命的重要一步。在冷漠的現代社會，這種想法實在太寶貴。而看到他們的舞台演出時，那屬於初中的被動處境就覺凸顯了。評判可洛稱許作品「情感克制，探討人的選擇」。在初中有這能力，實在難得。其他如任弘毅的新詩〈重力〉、陳紫澄的新詩〈生日會〉、劉展鴻的散文〈人生〉與何允升的對聯都是優秀的作品。希望之後大家都有機會看到這些好作品，能讓新一代的聲音給大家聽見。

20 半世光陰一夢蝶

——《如夢紀》中的沉溺與追憶

莊元生的散文集《如夢紀》（2016）分為兩輯，第一輯為「舊歡如夢」，主要收錄近年發表在文學雜誌上的長文；第二輯為「在地風光」，收錄發表在《明報》的一系列專欄文字。

在香港出版的散文集一般都是兩大類：一類是結集模式，把作者因應不同情況和發表園地寫成的文章編整成書，各篇文章之間不一定有連繫，多是報紙或雜誌上連載的散篇。另一類散文集則收入圍繞相同主題寫成的文章，而此類型的文章往往近於紀傳式，如憶述童年，或記某一年代的故事。莊元生的《如夢紀》介於兩者之間，雖然大部分文章分刊各處，仍然有很突出的主題，文章之間有線索相勾連，在閱讀時更連貫和有趣。

夢和回憶是《如夢紀》的主題，是建基於作者的童年或年青時的回憶。以回憶為主題在散文中不少見，或可說是散文的一種重要功能。但文學作品和一般記敘文章不同，作者憶述其回憶的深廣程度，是分辨作品高下的要點，回憶人人皆能寫，但要把回憶寫得完整、徹底、深刻，便考驗作者的功力。莊元生的回憶跟他出生成長的上水一帶有關，他嘗試在這個地方建立一個屬於他的回憶「世界」。不少出色的作者都擅長這種寫作方式，如福克納在他的小說中借個人真實經歷所虛構的美國南方小鎮。若以香港散文為例，如劉紹銘的《舊時香港》中所述六〇年代吃馬鈴薯的日子，便使讀者難以忘懷。

莊元生的回憶世界，多少帶一些沉溺的氣氛。他在這些文章中，清楚地記下了自己家庭中不堪的事，如父母離異，父親沉醉賭博，家境的困頓，也寫到自己性格上的陰暗面。這些部分都可以見到作者處理回憶時的坦白。這種坦白和直白是文學創作重要的素質，如普魯斯特的《追憶逝水年華》（1914）中作者對回憶的沉溺，或如盧梭《懺悔錄》（1782-1789）的真誠自剖。在《如夢紀》中都可以看見作者有相似的追求。正因《如夢紀》如此坦白，看至〈留與他年說任白〉一篇，寫父母離異，母親一人照顧五口生計，中間不堪之轉折，讀之在在不忍。《如夢紀》如此真誠，也就從尋常「自報家門」昇華成文學藝術，把紀傳式散文的美感追求充分發揮。

第一輯題為「舊歡如夢」，惟此書滿紙辛酸淚，歡字自有反諷之意味。不過莊元生在書寫回憶時也是充滿趣味。趣味此一散文審美觀點由周作人提出，並不等同幽默或惹笑，可解釋作散文作品有沒有表達寫作者的性情、個性、愛好、品味與癖性。莊元生在書序中亦有提到自己不斷在讀周氏兄弟作品及相關研究，指周作人作品中「充滿趣味」，認為周氏：「於人生最低潮時候，寫下兒時生活的種種回憶。」那莊元生書中的趣味來自哪些部分呢？當中既有山村意趣亦有市聲，有電影也有流行音樂。

《如夢紀》的童年回憶集中在上水梧桐河邊的村裡，今日已經是一私人豪宅，但在莊元生筆下，理應尋常的山村生活變得立體而有意趣，他寫到靠河的人「沙佬」，靠賣河沙為生，送貨則用一架「客家佬單車」，原來是一德國單車品牌的諧音。又說到村中的幾間士多，以為都是賣雜貨，卻原來各有功能，是村中人聚會的場所。「勝利士多」供人打麻雀，「利群號」則吸引小孩幫襯。離家最近的「育生園」老闆娘，則在作者童年困頓時關顧過他。

山村自有意趣，但《如夢紀》也不止於此。莊元生的文字有古意，具澀味而不油滑，似是深受古典文學滋養的作者，但在《如夢紀》中，他除了文學作品以外，提得最多的卻是電影、粵劇與廣東歌，他喜歡電影《東邪西毒》（1994）、《星光伴我心》（1988）、《單車失竊記》（1948），甚至能在拳王洛奇系列中找到慰藉。他述說《帝女花》對他人生的影響，談到流行曲〈不了情〉（1961）、電視劇《網中人》（1979）、《家變》（1977）的主題曲。我可以看到莊元生博雜的閱讀世界，並沒有通俗與嚴肅、古典與現代之分，他把其閱讀資源公平地轉化成他的寫作，結合其獨特的上水山村景貌，創造了一個獨特的文學世界：一個既城市又鄉村、既有高雅又有時俗，不避市井而兼有雅趣，結合中產閱讀品味與赤貧生活的記憶宮殿。就如《追憶逝水年華》，回憶必然具有隱密的個人色彩，不可能被簡單分類（這正是文學的理由）。但是我們並不會太過驚訝莊元生多彩的文藝世界源自何方，因為《如夢紀》所呈現的，不正是香港文學——或是香港，本應就具有並且該繼續保有的質素嗎？

在〈童工歲月〉一篇中提到黃偉文填詞的〈單車〉（2001），說是「騎出單車的父子之情」，但其實此詞寫的父親：「為何這麼偉大 / 如此感覺不到」，「想我怎去相信這一套 / 多疼惜我卻不便讓我知道」，當中有明確的控訴在。流行曲看似迎合大眾，但其實也大有文章在其中。

21 遮相祖述復先誰？

——讀朱少璋《黑白丹青》

《黑白丹青：朱少璋人物素描》（2016）選輯朱少璋的人物散文結集，既以人物散文為主題，看作家如何描畫人物就成為閱讀的重點所在。繪畫與寫人倒是有一點很相像，一般人常以似與不似去判別作品價值。這裡的「似」是指與實物相似，這種肖似當然是一種重要而有價值的追求，所謂超高清，虛擬現實，幾可亂真，都是在此一路向上有所追求。不過，朱少璋的「似」卻是另有追求，在書序中他舉野史為例，說《清稗類鈔》中不少筆記寫人物「既通俗又生猛」，「這種寫人的筆法完全脫離肖像的描寫⋯⋯節奏明快，特別好看」。

所以「似」又可以解作怎樣提煉精華，把重心從外觀表象轉移到人物的性格行事，減省枝蔓，不避文意跳躍，寫一件事就能表現人物精華。所以在《黑白丹青》中，我們不一定知道他筆下人物外套的顏色，但卻能看到那些人物所作的大大小小的選擇，和那些選擇背後的心意和性情。看〈姓杜的真多情〉寫杜國威的「在乎」，看〈雙照樓上也有一盞放涼了的茶〉寫研究汪精衛與周作人的人的執著與從容，都能恰如其分寫到重點上。而且，用多情概括杜國威，還有那杯放涼了的茶，實在是精巧而美的一筆。把肖似交給 4K 高清電視，把其他的美感需求交給藝術家去努力，也許是當代藝術家面對高科技複製的其中一種轉向。

不過似與不似還有另外一層意思，現代主義藝術重視原創性，文學批評家哈洛・卜倫認為作家並沒有先後之分，真正出色的作家可以超越他曾經模仿的前驅，把後者「踢出」文學史，進而佔據「正典」的地位。不過就我所知現代散文作者甚少如此殺氣騰騰，好像朱少璋就甚為念舊，寫故人寫舊物，寫被遺忘的或藏於暗角的。不過，作家對其散文前驅的態度還是大有別趣，使他寫下「最教人無奈是求『似』的時候總嫌『不似』，求『不似』的時候卻嫌『太似』」。哈洛・卜倫的「影響的焦慮」，看來所言非虛。

在散文上，似與不似，並非作品好壞評判標準；更應視為欣賞閱讀散文的一種角度。朱少璋自認為他的早年少作有模仿各散文名家，看他拆解各名家筆法化為己用當然有趣。好像散文寫人物時會將幾個人物交錯著寫，或是反覆提煉一句引文的意韻，或是隨一件小物件隨興寄託，都是董橋近年散文中常見的筆法。老友黃教授甚欣賞朱氏散文，向人推薦他的文章時就會說：「喂，依個小董橋來㗎喎。」你看，怎能不焦慮！不過我猜如此好意，就算多焦慮也受落。

從前聽王璞談論散文時，當時她喜歡用「匠氣」一詞評說作品。年輕作家的作品可能有模仿，但模仿之下還是能寫出沒有「匠氣」的清新作品，反過來說「匠氣」可能是不少成熟作家所遇到的創作瓶頸。看《黑白丹青》中收有朱少璋的早年少作，就明顯感受到這種清新氣息，如寫父親的〈公瑾當年〉，就幽默中有人情，大有可觀之處。

寫下「不薄今人愛古人」、「轉益多師是汝師」的杜甫，始終認同文學傳統的重要性，認為「轉益多師」也不一定失去原創性。可說是朱少璋散文前驅的董橋也繼承了許多周作人及梁實秋的特點，幾位散文取態上的接近反而令讀者有機會細辨當中的差異，令散文的閱讀圖譜有更多可能性。朱少璋的人物散文，或得益於對學術研究的訓練，及對梨園曲藝的長期興趣，都使他比朱自清、周作人或是董橋，都多了一份研究者或是鉤稽者的味道，文章徵引也比周作人更重情味而甚於趣味。

在香港寫作，更多追求的是自我的超越而非和其他作者比較，說到底只要繼續寫下去，總會找到創作的突破口。好像周作人三十多歲寫下《雨天的書》，這本幾乎篇篇精品的散文結集，到他四十歲後卻風格大變，寫出完全不同的「文抄公體」，晚年的風格還繼續變下去。就像朱少璋為南海十三郎編的《小蘭齋雜記》(2016)，當中收有 2016 年的紀傳散文傑作〈南海十三郎傳略〉，一看還以為是十三郎的自傳！要模擬一種風格也許不難，但寫文章能寫到要似誰就似誰，就是另一種才能了。

22 能當汪曾祺就不錯

《自得其樂：汪曾祺散文選》（2009）是其中一本沒有翻開就買下來的書，雖然手上已經有五本汪曾祺的散文集。

劉紹銘教授替天地圖書編的這套散文集我幾乎都有買，繁體書不便宜，汪曾祺的書內地出得不亦樂乎，版本就有數十種，為何要買港版的貴書？

一本選集的好壞，有時直接影響讀者對作家的印象，《自得其樂》分成五部分，「自報家門」、「四方食事」、「生活情趣」、「文化品味」及「人物鱗爪」，把汪曾祺最受稱道的散文主題都包括在內，既能分門別類，又點出了作家的志趣，是認識作家文字的好讀本。

汪曾祺的小說是「當代經典」，短篇〈受戒〉、〈大淖記事〉是他的代表作，不少人一看就迷上了。於我記憶最深的是 1949 年前寫的〈雞鴨名家〉，寫兩個有奇能的人，很好看。〈受戒〉的小英子、〈大淖記事〉的巧雲，汪曾祺寫的人物總使人難以忘記。

有次師生敘舊，談起沈從文，他的小說大家都喜歡，有人戲說當作家能像沈從文就好了，愛吃苦瓜的他（其實是也斯）卻笑說：「能當汪曾祺就不錯了。」汪曾祺是沈從文的學生，為人為文深受後者啟發，是中國文學史其中一段很有意思的師徒關係。《自得其樂》獨選六篇談及沈從文的人物散文，就是為了側記這一段關係，當中〈沈從文先生在西南聯大〉更是教中文的人必讀的文字。

汪曾祺是個很好的學生，也是個很好的讀者，書讀得很仔細，他謙稱自己「很少寫評論」，其實也不少。《自得其樂》以「好讀」為編選條件，文評大可不選。編者選了〈人之所以為人〉一篇，也反映了汪曾祺的閱讀與批評的功夫。文中第一句：「讀了阿城的小說，我覺得，這樣的小說我寫不出來。我相信，不但是我，很多人都寫不出來。這樣就很好。」有誰不想得到汪老先生這樣的評語？

汪曾祺是個懂得文字節奏的作家，像在《自得其樂》中幾篇詠花文章，就寫得極有節奏感：「雨停了，荷葉面上的雨水水銀似的搖晃。一陣大風，荷葉傾倒，雨水流瀉下來。」文字長短錯落靈活，「傾倒」、「流瀉」又寫出荷葉葉面闊大的特色。學生多看這樣的中文很難不進步。

汪曾祺很喜歡用四字句，用得很精彩。四字句不同四字成語，前者是語言的追求，後者用得好固然錦上添花，最怕用得差或用錯，詞不達意，貽笑大方。汪曾祺談及自己為何「重拈畫筆」，全因「文革」：「運動中沒完沒了寫交代，實在是煩人，於是買了一刀元書紙，於寫交代之空隙，瞎抹一氣，少抒鬱悶，這樣就一發而不可收，重新拾起舊營生。」汪曾祺的行文有節奏，簡言之可說是吸收了駢文的「四六」結構轉化而來。

書名《自得其樂》選得好，汪曾祺是個硬漢，不少該呼天搶地的日子他笑笑便過去，面對「文革」是「瞎抹一氣，少抒鬱悶」，一次意外被撞斷四顆門牙，卻只在可惜不能再吹笛子。汪曾祺歷經世變，總能自得其樂，引一句劉紹銘教授書中導言的話作結：「是絕不尋常的化痛楚為『自療』的神力。真有他的。」

23 太史志異

——江獻珠與南海十三郎

《〈蘭齋舊事〉與南海十三郎》（1998）是本很好讀的書，書不算新，但不時再版，所以在大書店還能找得到。作者江獻珠大概不會被人當成文學作家，她大概也會自稱為「煮婦」。所以她眾多寫得別致、已結集出版的飲食散文，也放到入廚工具書去了。不過《蘭》一書則是例外，通常當成是南海十三郎的研究資料，放到戲劇類書，立在杜國威的劇本旁。

南海十三郎是江獻珠的叔叔，有名的「太史蛇羹」，就是出自江家，而人稱「太史公」的江孔殷，就是江獻珠的祖父。江家父子都是奇人，江獻珠也以二人為中心，去寫她的江家故事。

寫人紀傳，尤其是自報家門，不少都力圖隱惡揚善，結果就算不致欲蓋彌彰，文字也會失真。江獻珠寫祖輩，不遮醜，寫父親是「我父親尤其不長進，終日流連花間」，寫祖母是「很奇怪，祖父的女人沒有一個是天姿國色，九十兩祖母還可列入『醜』類」。為何這樣寫？在於一「異」字。

「異」並非貶義，正如「奇異」、「異人」也不是負面語。為人作傳，當然希望能寫出傳主的神緒。一個人的個性，往往從他的「異」行中表現出來。江太史與十三郎都是有個性的人，逸事很多，有真有假，然家道中落是事實。江獻珠深明「異」字的力量，老實寫出江家人的個性（和缺點），就不落俗套。

「太史公」以食家之名傳世，為江家寫傳，飲食二字自然貫穿其中。江獻珠寫飲食是高手，懂煮又懂吃。所以當她從童年記憶出發，寫江家故事時，便更能點出其祖父對飲食追求的獨到之處。往往寫高門大戶都會大談其對飲食的奢華，但作家則重視寫祖父對飲食「時機」的掌握，例如啖荔枝，是「糯米糍⋯⋯香味特濃，但肉質較鬆，一經陽光，糖分稍微變酸，口感的享受大打折扣。先祖認為只有經過夜晚的溫涼，糯米糍方能顯出其香、甜、鮮、脆的最佳狀態」。當然我們都知道，非三代富貴，難言一家到農場追求「露水荔枝」。其他如寫採「荔枝菌」，寫吃蛇羹要用的菊花，寫橙花蜂蜜，都多次強調「物有其時」。《蘭》既談飲食，又屬傳記，而她對飲食所知愈多，就更能用談飲談食去點出祖父的堅持與情趣，能為「太史公」寫傳的，大概非江獻珠莫屬。

少時上街市，有時會見到一種橙綠色很甜的蘿崗橙，一次總能吃上十個八個。想不到原來江家的興衰故事，就和蘿崗橙有關係。當時江太史在番禺蘿崗開設了農場，種橙種荔枝也養蜂製蜜。但花費極大本錢的蘿崗橙樹，結出的柳橙卻有一個很大的黑痣，結果全賣不出去，對江家是一大打擊。不過蘿崗對作者來說卻是童年樂土，文中對蘿崗也有仔細的形容。

「飲食」散文面貌多樣，《蘭》兼具「童年記憶」、「飲食心得」與「家族記事」。林文月的《飲膳札記》，上述三者有二的，是當中傑作。但能把上述三者互相調和的，《〈蘭齋舊事〉與南海十三郎》卻是少見的佳例。

（按：翻箱找回幾年前寫的舊文，江獻珠是我很喜歡的散文家，一直有追讀，她的專欄也是我看《飲食男女》的一大理由。也算留個紀念。）

24 《2011 香港詩選》的柔韌革命

第五屆九龍城書節香港文學生活館舉辦名為「文學·革命·生活」系列講座，由鄧小樺、張鐵志、俞若玫、梁國雄和陳智德談「書寫與抗爭」。當時梁國雄批評香港的文學並沒有反映時代的偉大作品，認為香港的文學並不具有反抗精神。在場聽眾聽到這些話，大概很自然在腦中搜索曾經看過的香港文學，不少嘉賓也對這發言感到疑惑。同場學者更提出種種反駁，指出香港文學其實一直有深刻社會關懷，只是作家少用號召式的口氣寫作。香港作家寧用文學柔韌之力，去對抗世道一日一日的磨耗。

誰是誰非，或者可以簡單歸因於發言人對香港文學理解不深。惟看似尋常的外行論斷，細細分析也可以展開成一連串有關文學是什麼的討論。文學為的是藝術的美感體驗？文學為的是人生的啟發領悟？還是藝術應該干預生活，為社會演變盡一分力？種種藝術的創作立場與閱讀態度，可以有種種不同的識讀可能。要層層說來，幾可翻成二十世紀中文文學中的一次次論爭波折。

從整體格局來說，香港純文學比較多作者重視美感體驗與人生啟悟，較少強力干預政治的文學作者，這可視為二十世紀以降尤其是五〇至七〇年代兩岸過度政治化的文化環境的一種反撥。從前不少被批評的文學作品往往是流於政治口號式張口見喉的宣傳，又或者是替獨裁者歌頌。而這些年來又漸漸出現一種轉變，不少香港文學作品，以近於「感於哀樂，緣事而發」的詩歌精神書寫，讀來不覺生硬，而且更能感受到社會氣息。

由《聲韻詩刊》主編黎漢傑編輯的《2011 香港詩選》（2013），就正好是一部觀察時代的好選本。全書共收六十多位詩人的作品，配上精美的插畫，是市面少見的年度香港文學選本。編輯黎漢傑在序中寫得含蓄，沒有說破，只點出歌「興」與「怨」的讀寫範式；其實既是詩刊主編，又怎會不感受到這種轉向？其序微言大義，引文更是可圈可點。

如我在很多不同的場合聽過的一種批評：說香港詩人望著自己的肚臍眼寫作，只關注自己的私人情事，無視社會大事。翻翻這詩選就可提供反例，如謝傲霜〈我替媽媽買了八包鹽〉寫於日本大地震之後，反應之快也表現出詩人對生活的敏感度。因核洩事故，香港與內心出現搶鹽潮，作者說「我替媽媽買了八包鹽和一樽無知七盒自私自利三罐恐慌」，以各情緒字眼去置換替媽媽從超市買回來的東西，付錢後「我把儲起了兩噸無奈和一公呎壓力千百種荒謬的儲分咕放回錢包然後 / 把五千次頭暈與一億件心事零零碎碎的電視畫面連同八包鹽放進咖啡色的手袋」，袋子裡的八包鹽混和各種記憶變得愈來愈重，「幸好我的手袋夠大雖然它破爛並且已經背負了十萬樣家庭爭執和幾千種寫作方式 / 可是我實在有點累了那些鹽的重量像一個海洋壓在我的肩上讓我的腰痛得直不起來」。詩人寫出日本面臨悲哀的災難後，處於局外，身心無損的人反而盲信謠言，慌張羅致各種抗輻射食品，似乎忘記了真正的受害者。但詩人體諒母親的恐慌，最後「那八包鹽現在就堆在飯桌上足夠醃製三十條希望七十個夢想和一次的善良」。這種詩歌就能從自身家庭出發，連結社會大事與民心民氣。

不同玉石俱摧的橫暴，文學柔韌之力也是一種對抗的力量。出版這書的新出版社名為石磬文化，石磬是種古老的石製敲擊樂器，愈受打擊，愈能發出叮叮噂噂的清亮音聲；要它發聲容易，要擊折石磬困難。

25 鑪峰文藝與左翼寫實文學

早前與幾位老師吃飯，說最近電視上出現了很多專門解疑解謎的節目，邊喝邊說邊談邊笑，正值大家酒意漸濃，其中一位喜歡醉時談文論藝的詩人老師說到，其實在香港文學中亦有不少未解之謎，好像抗戰時期有一位詩人，即在參加香港抗日義軍東江中隊後失蹤，去向不明，成了香港文學中的不解之謎云云。當時在各老師面前，實在也拿不出什麼像樣子的謎和眾人分享。但散席回家後想想，其實對香港文學資料的整理收集，真就像解謎一般，有時一個詞語，可以把很多很多線索串連在一起，結成一張完整的網，今天這個「謎」，便是「鑪峰」。

鑪峰是太平山的別名，是香港的代名詞，那鑪峰和香港文學又有什麼關係呢？現在到書局走走，可以找到一本新出版的《鑪峰文集》。文集中有小說、散文、隨筆、遊記，各由不同的作家執筆書寫。當然鑪峰並不只是一本散文結集的名稱，在〈鑪峰雅集半世紀〉文中，《鑪峰文集》編者羅琅以筆名游隼詳述了鑪峰的由來。鑪峰是一個文學團體，由一班「分別來自出版、新聞、教育、電影界工作的年輕人」所組成，經常定期舉辦各種聯誼活動。在文學上則有近似的觀點，「常在報上發表文章，反映香港社會各個角落」。

五〇年代社會政治氣氛比較濃厚，報紙亦熱衷報導兩岸及韓戰等政治軍事消息。知識分子都或左或右同情支持其中一方。先前談到的《文藝新潮》及一些現代主義作家作品，可說是較右的作家及作品。而劉以鬯在《香港短篇小說選（五十年代）》（1997）的序言中，說到在美國新聞處的高稿費吸引下，亦有不少作家為了求生寫了不少反共的宣傳文字，劉以鬯亦寫道：「但在五十年代的香港，作家要保持純潔的寫作動機，並不容易。」反觀當時不少香港的左翼作家，創作動機則相對比較誠實，創作較能曲折反映當時香港的民生實情。

五〇、六〇年代有不少作家的合集，在 1961 及 62 年出版《五十人集》及《五十又集》，還有時參與鑪峰雅集的年青文人的結集《市聲．淚影．微笑》（1961）及《海歌．夜語．情思》（1962），當中有不少有水準的創作，例如舒巷城的〈鯉魚門的霧〉及他用筆名秦西寧寫的〈香港仔的月亮〉。〈鯉魚門的霧〉寫梁大貴離開了出生地鯉魚門十五年後重返故地，發覺現在的鯉魚門已經不是他離開時的鯉魚門。寫到後末有一位老婦人向大貴問路，但大貴眼見人物全非，只好說「我是剛來的」。這故事具有濃厚的懷鄉懷舊色彩，但有趣的是舒巷城有別於當時主流的懷鄉作品，不少左翼小說電影結尾總喜歡回到新中國懷抱。舒巷城所懷的鄉並不是一個具體的、真正能回去的、實指當時的新中國的鄉，而是一個過去式的、回憶的、無法回去的鄉。這更見舒巷城的寫實作品有其獨特的眼界。在《鑪峰文集》中亦收入舒巷城妻子的一篇作品，當中談到不少二人真摯的日常情事，是念故人的佳篇。

在討論五〇、六〇年代的香港文學時，左與右、雅與俗、寫實與現代等概念往往被二分對立起來，但當我們細察當中的各種演化，解開一個個的迷思，香港文學的各種價值觀的對立並不如想像中明顯，像曹聚仁在左右對立以外，三蘇、崑南甚或張愛玲遊戲於雅俗之間。不少香港作家所關心的反而更在如何把作品寫好這個更單純的問題上。好像張君默以筆名甘莎在《市聲・淚影・微笑》發表的〈笑聲〉，便為小說創造了一個充滿黑色幽默的背景。丈夫從病院出院回家，對妻子及一家來說應該是好事，但對〈笑聲〉中的丁嫂來說則是惡夢的開始。丁裕因為長期找不到工作，受生活重壓變得失常，把丁嫂的頭打傷後進了精神病院。但因為精神病院的床位太少，丁裕病未好便被送返家，結果丁裕在家終日瘋瘋癲癲的，最後丁嫂在巨大壓力下亦被逼至精神失常，兩瘋人在家中發出陣陣笑聲。小說對丁嫂的心理轉折著力描寫，作家當時只有 21 歲，更見當時年輕作家群的創作力量。面對五〇、六〇年代香港的各種荒謬處境，香港的寫實作家亦不斷在思考小說創作的各種方法和可能。

現在讀和寫小說在一般人心目中可能算件風雅事，但對五〇、六〇年代的寫實作家來說，小說藝術實在是種對抗現實橫暴的方法。海辛原名鄭雄，也有筆名鄭辛雄，是位多年來創作不斷、質量具備的小說家。他在年青時在香港當過麵包店散工、酒店侍者、理髮學徒等工作，除謀生外更使作家對社會多加了解，海辛對小市民生活的熟悉遂成為他創作的一大特點。在《市聲・淚影・微笑》中便發表了三篇小說，速寫各式各樣工廠勞工的生活，一位為生活假裝具有經驗應徵的工廠女工，一位在遺失掉職員證無法進廠的工人，因丈夫工傷而生計困難的母女，如何因「人人為我，我為人人」的時代精神，在別人幫助下渡過難關。又如在《香港短篇小說選（六十年代）》（1998）中的〈跳橡筋繩的女孩〉，寫一位十二、三歲喜歡跳繩的靈巧女孩，爸爸是位車伕。小女孩每天都到車站找爸爸，問他拿錢給弟弟買奶粉和媽媽買藥。但女孩爸爸生意不好，只好用較低的拉車費吸引顧客，結果引來同行的不滿，把他推倒，最後眾同行得知爸爸減價的因由，於是人人出點錢幫他。回看五〇、六〇年代的寫實小說，總能夠體會到當中有著濃厚的人情。也斯在談到這小說時，亦說：「充滿了樸素善良的意願、對舊日人情的信心。」海辛及後加入中聯電影公司擔任編劇，一直創作不斷，在《鑪峰文集》中亦能找到海辛的小說及訪問。

鑪峰這個名詞其實並不能稱得上「謎」，因為它在這數十年來其實從未失落間斷過。鑪峰除了是一本文集，一群作家，一種創作態度外。還是一本期刊的名字，《鑪峰文藝》在 2000 年 3 月創刊，還是保持重視年輕作家的特點，給予大學甚至中學的新生代發表創作的機會，同時又能見到一些成名作家像劉以鬯等在期刊上發表小說，老中青作家共聚一書。回顧香港文學的種種，鑪峰實在是一股不得不提的中堅力量。

26 洛楓的意義

—— 不抗世的堅持

我的朋友是一位很喜歡研究電影的中文系畢業生，畢業幾年現在從事文字工作。本來學以致用是好事，入職前他也以為做的是寫作和編輯的，入職以後才發現並不是這樣，編輯只是他工作的五分之一，而其他的部分他都感到強人所難。對，如你所想的，生活不如意，很多事情都不順，人愈來愈消沉，他漸漸不見了大學時才子的神采。他說想回校讀書，但又覺得中文系已經不適合自己，對電影的興趣愈來愈大，有時看文化研究的文章反而覺得更有趣味，但又怕隔行如隔山。我說讀中文系的人再進修並非只讀中文不可，只要抱有真正的興趣，有自我學習的能力，接著讀什麼專業也可以。那時我們都叫他可向文化研究的專業發展，說「出身」並不是最重要的課題，魯迅也讀過水兵「系」、礦路「系」。為了勸解，例子我們說了不少，獨獨忘記了洛楓其實才是更恰當的活例。

對讀中文系的人來說，洛楓示範了如何既不放棄對中國文學、寫作的熱愛而又能在別一個空間另一個位置做到出色當行。八〇年代，洛楓在香港大學讀中文系，最初主要寫詩，後來辦詩刊，參加種種新詩活動，從詩開展她的創作之路，這和我們腦海中「純中文」的中文系畢業生並沒有什麼不同。但印象中今天的洛楓，對種種普及文化話題有很寬廣的視野，喜歡研究電影、漫畫、流行文化、歌詞，這些東西往往又被人說不似一個傳統中文系會做的研究了。

詩與文化研究好像是有對立面的兩種東西。文化研究和現象關切、和生活時事關切，不避俗，對社會政治難免有尖銳的批評，甚至有人會覺得這學科和中文系相比，有點世故。而在不少人的印象（也未必不是行家的定見）中，詩是很純粹的東西，也是各種文字藝術中最不俗的。在他們眼中典型的詩人瘦弱敏感，現實事務非常糊塗；甚至有人認為懂得生活的人就不適合寫詩了！我們看到的洛楓不是這種人，我在大學旁聽過洛楓的課，也聽過她的演講，她的報告常常做得非常精彩，授課條理分明，絕不糊塗。在幾年前，下課散步時曾經過嶺南大學文化研究系她辦公室的門口，牆上貼滿了她要同學做的功課，一張大的黑色畫紙上面貼有照相或繪畫或文字，用種種媒介結合去表現一個社區，真有趣！自此就覺得她是一個懂得用靈活的方法去教學的老師。

但她還在寫詩。在當教師、寫論文、寫藝評、寫小說、玩面書之外，她還在寫詩。在《變臉幻書》（2013）的扉頁作自我介紹時，她還是先自稱「遊戲人間的詩人」。在中文系過得不高興，其實不一定要放棄中文而轉向電影；不一定是因為對抗一方而跳向另一方，也不一定要因為受到曾經共同陣線的人事輾壓就否定自己本有的立場。也許洛楓的意義在於，她的詩同時是抗世的和不抗世的。洛楓的現實生活也許好像張愛玲筆下的「華美的袍」，有很多煩惱，但我卻很少見到洛楓站在孤絕的高峰向世界叫罵，把事情簡化，反而見到她投入其中，寫自己的日常生活，寫去超市、寫搭小巴、寫電腦。她不單止書寫日常，還是用一種溫柔與反省的角度，去感受那雖然讓人頭昏腦脹卻實實在在的生活瑣事。

我們可以通過讀她收在《飛天棺材》（2006）中的〈給電腦的情書〉來探討這話題。洛楓面對使用電腦的麻煩，面對「不聽話」的電腦「對我輸入的話語不聞不問／或隨意亂碼顧左右而言他／甚至突然自動關機從此不再跟我會面」，先做的是反省。「是的／沒有受過專業訓練的我／並不能熟練地操作戀愛的各種程式」。但反省過後，是否必然要庸俗地步入對抗，找「電腦／戀愛」專家作戰？洛楓並沒有提出解決的方法，她甚至認為那些問題根本是無法解決的，因為導致感情發生偏差的原因可以是溝通方法和觀念的不同，「（你說過會一輩子待我好／無論我們是什麼但那／『什麼』到底是什麼？）」；可以是社會變化和人的際遇「（我們曾經一起吃飯的／那間茶餐廳因為／樓宇遷拆而倒閉了）」；可以是時機與命運的差錯（「當我打算在你的電子郵箱留下／口訊時你剛巧致電我的傳真機／彼此的網絡因為佔線而阻斷）」。

電腦的問題、愛情的問題，正如人生的問題，並不一定是做些什麼就會有所改變的，達觀的去想，可以在生命的磨耗去察知真正的自己，去知道自己真正應該堅持的部分，是我讀洛楓的詩與人生的一大感受。所以洛楓不埋怨迷路（〈世紀迷路天使〉），還是會搭小巴（〈飛天棺材〉），對香港的生活更多是愉快的投入其中而非只作旁觀的凝視。就算寫致命的病毒 SARS 也會寫到「從此 / 我便知道 / 要與病毒共生 / 這下半生」，我認為這份「樂觀」練就了一種強大的力量，從投入色彩繽紛 / 光怪陸離（端視你站在何方）的生活，一步步反思發現自己，著她去堅持真正應該堅持的，對抗真正應該對抗的，而在這過程中學習怎樣與病毒「共生」，也許是每個人必須學習的課題。

27 論舒巷城《艱苦的行程》對紀實小說的探索

舒巷城的長篇作品《艱苦的行程》（1971），記述他經歷香港淪陷和在內地走難的艱苦歲月，這部作品既有小說式的對話，亦有歷史色彩。所以我們可從小說、報告文學甚至自傳的角度去閱讀它。不過，舒巷城特意在《艱苦的行程》的〈前記〉中強調此作的真實性，而不同於過去在《白蘭花》（1964）中說明作品僅是虛構小說的態度。評論者均注意到《艱苦的行程》的小說式筆觸，但作品的紀實性其實是更應該關注的重點。我們常常會把抒情和紀實視為對立的兩面，但這兩種風格在舒巷城創作中卻是並存的，而通過解讀《艱苦的行程》，我們才可以理解舒巷城小說的抒情色彩背後的基礎。如果單以抒情或是原鄉色彩的角度，似乎是無法正確理解《艱苦的行程》及舒巷城五〇、六〇年代的小說創作。因此，本文嘗試以《艱苦的行程》為解讀舒巷城作品的樞紐，並理解舒巷城的小說藝術。

戰時經歷對解讀舒巷城小說的重要性

在討論《艱苦的行程》對解讀舒巷城小說的重要性時，可以從另一篇受評論者關注的作品〈鯉魚門的霧〉為切入點。這篇小說寫於 1950 年 4 月 17 日，是討論舒巷城小說的懷鄉色彩時經常被提及的文本。故事主角梁大貴為了謀生而當上海員，離開鯉魚門十五年後重返，發現昔日的人事也不復在，感到自己如初次踏足此地，不禁唏噓。梁大貴出身窮苦階級，曾夢想一朝可以發達，成長間經歷不少辛酸，而最終仍是淡泊還鄉。

陳智德在〈「巷」與「城」的糾葛：論舒巷城〉一文，很準確地梳理舒巷城作品中「巷」與「城」的概念，指出那是相類於城鄉對立的觀點，但特點是舒巷城關注的「鄉土」也是屬於城市的。舒巷城所認同的人文價值，在其作品中都以故鄉西灣河、筲箕灣一帶作代表，而相對於中環、尖沙咀等地理上的都市中心區。但陳智德沒有把兩者化為簡單的對立，並注意到結合舒巷城的個人經驗去解讀他的作品，認為〈鯉魚門的霧〉是「描述本土經驗的斷裂」。

評論者常常會提到舒巷城小說中悲涼或傷感的情緒，即如慨嘆往日的事物已然逝去，不再復返。這種寫法，和今天說的懷舊很相似，好像沒有什麼分別，是一種對「老好日子」的歌頌，好像以前什麼都是好的，極端的甚至推演至籠屋、鐵皮屋也有可懷之舊。但舒巷城的小說純粹是一種懷舊嗎？單看〈鯉魚門的霧〉很可能得出這定論。我們可作個反論，例如小說中金舖的出現並不一定是種毀壞，可能是社會改變自然發展而來，主角對金舖感到陌生，錯不在於金舖。如果一個小說家這樣書寫，可能只是一種片面的傷感情緒，並非有其前瞻性的想法。事實上，舒巷城也沒有刻意渲染批評代表著商業價值的金舖，階級對立似乎並不是作者最著重去表達的意思。那作者想表達的到底是什麼？當我們嘗試把《艱苦的行程》置入解讀，便會發現〈鯉魚門的霧〉不只是一種對「老好日子」已然逝去的傷感或者對商業社會的批判。

《艱苦的行程》的上半部分，書寫日軍侵佔香港初期的種種情形，作品中提到當時的日本軍隊，曾經連番轟炸筲箕灣、西灣河一帶。換言之，舒巷城年輕時，已親眼目睹當年的種種殘破，家人、鄰居的傷亡與離散，他在北行逃難的旅途中，已肯定故鄉必然失落。而他的作品中也不斷去回溯筲箕灣一帶在戰時的破毀。所以，舒巷城的小說並非單純對於舊事物的想念和對「老好日子」的歌頌，而是一種今昔之比，或說「黍離之悲」，其實是一種戰爭對所愛之土地破壞而生的荒涼之感，那種荒涼之感點染了梁大貴眼中的所有景物，那座新淨的金舖，在舒巷城眼中尤如野地。梁大貴非因好錢財而離開故地，而是戰亂下的生死永別。如陳智德所指，主角「他重返筲箕灣不單為了懷舊，更想追認前事，尋訪前人，也重新尋回自己因飄泊外地而失去的地方本質和身份」。如果我們沒有把舒巷城的戰時經歷放置在背景，便可能難以理解〈鯉魚門的霧〉中書寫的悲涼情緒。

舒巷城的文學觀

《艱苦的行程》最初在李怡主編的《七十年代》月刊報告文學專欄上，以邱江海之筆名連載，記述作者在香港淪陷以及走難的經歷，連載結束後不久便結集成單行本，起名為《艱苦的行程：一位香港青年在抗戰期間的生活見證》，並附加〈前記〉。在《艱苦的行程》的〈前記〉中，舒巷城作此說明：「這本書，寫的是個人當年的一點經歷和感受。它並非小說。雖然為了避免平鋪直敘的寫法，它在結構上會有一點『小說』的傾向，但其中人物，除姓名有所改動之外，都是真有其人；而故事『情節』呢，也實有其事。有些動筆時自己忘了的細節，倒是如今尚在人間的母親、弟弟、朋友提供的。另外有不少資料，卻是來自個人當年的筆記。正如我在書中說過的那樣，許多東西失去了，而一個在風雨中曾經伴我走過許多旅程的硬皮本子卻還一直保存下來。」作者本人視《艱苦的行程》為一部紀實作品，一再強調作品的真實性，並指出有筆記為根據，寫作期間也進行了採訪。〈前記〉對讀者是一種提醒，也表明舒巷城對於紀實和虛構的書寫抱持不一樣的態度。

關於書寫報告文學和一般報導的分別，前人已有眾多討論。而鄭明娳的《現代散文類型論》（1988）中，則嘗試把報導文學（或說報告文學）分為兩種，一種是經驗式的報導文學，一種是考證式的報導文學。舒巷城的《艱苦的行程》即接近於經驗式的報導文學。另外，我們可援引五〇、六〇年代，在歐美興起所謂「新新聞主義」去理解這部作品。「新新聞主義」認為一直以來的新聞書寫有所不足，希望以一種新的寫法（New Journalism），把過去的方式無法表達的東西書寫出來，例如容許小說的書寫方式，對白、場景設計創造，記者常常是事件的參與者，能對歷史事件作出評價。所以在報告文學和小說之間，其實可發現很多灰色的地帶。如果以「新新聞主義」或報告文學觀點來看，舒巷城選擇以藝術性的寫作手法重構香港淪陷的歷史，並不影響作品的真實性。

而在六〇年代的香港，報告文學亦有獲得推動和關注，例如主編《現代中國報告文學選》的作家曹聚仁，在該書序文中開首便說：「它（報告文學），並不是純文藝，乃是史筆……那藝術性的描寫，只有加強對讀者的誘導作用」，而「究竟在怎樣情形得用藝術之筆？那是得加強力量，提示讀者注意的地方」。在舒巷城的《淺談文學語言》（1956）中，也可以發現相類的文學觀，但這本小書往往被人忽略。對舒巷城來說，散文、小說、詩並沒有大的規限，因為有些小說是「散文化」，而有些散文卻有「詩」的部分，也可以說小說亦是散文的一種。人們往往把有人物對話、情節、場景、戲劇性等形式的「散文」稱為「小說」，對舒巷城而言，這些小說的藝術技巧，不過是一種方法，不會影響作品當中的內容和真實性。關於「紀實」與「文學」，舒巷城提到了《史記》。舒巷城稱讚司馬遷懂得運用「小說語言」，是一位出色的史學家，同時也是一位偉大的文學家。他認為在《史記》中人物是其中心，正是人物性格、面貌、神態等各方面栩栩如生的描寫，構成一個「真實」的人，和一個「真實」的時代。歷史是透過人來顯現，而且與人物的行動密不可分，《史記》之所以引人入勝是因為司馬遷往往以「小說」的藝術方法，把「事情」故事化，使情節、情境和人物緊緊地扣在一起。所以，舒巷城選擇用說故事的方式把香港淪陷和北行走難的經歷加工處理，除了是一種小說家本色，也和他的文學觀有密切的關係。

比較他另一部書寫日佔時期香港的小說作品《白蘭花》，便能更加明確地理解舒巷城在創作上，堅守著他在心中為自己訂下的原則，不願意讀者把紀實與虛構的書寫混淆。在《白蘭花》的〈代序〉中，舒巷城表明作品「寫的畢竟是人物想像、故事虛構的小說，而不是歷史」，所以這個長篇「就是你希望我寫下來的那一個」，但「要是你發現書中某些地方似曾相識或早已聽我說過了，那是毫不奇怪的：有時候我會不自覺地把自己經歷過的一段人生寫進去」。當我們理解舒巷城的文學觀，便明白他在《艱苦的行程》中，以寫實為首要的考量，自覺地保持作品的高度真實性。而且，舒巷城既已在《白蘭花》中，把日軍侵港的慘痛遭遇轉化成虛構的小說，在相距七年後書寫《艱苦的行程》，對於作者來說絕對有著另外的重要意義。

總括而言，我們可藉《艱苦的行程》及其成書過程，探尋出舒巷城出色的小說家背後那重視歷史真實、重視史家之筆的創作用心。此一點對了解舒巷城的創作人生有不能忽略的意義。

（按：節錄自我與我的學生吳廣泰、張麗儀合寫的論文〈憶苦與實錄：舒巷城《艱苦的行程》在文學史中的意義〉中導論部分。）

28 西西的動物書寫

小說家的散文

西西是位小說家，不過如要真正讀懂西西，閱讀西西的散文也很重要。散文是西西文學世界的重要入口，因她是那種吸收轉化型的作家，一直希望開放眼界，文學、歷史、人文地理，各種各樣的藝術媒介都有興趣，而且有研究精神，不是走馬看花，更會在她的作品上表現出來。其中很多閱讀的心得，旅行的記錄，日常生活的觀察會通過散文這種文學體式表達。所以去「閱讀西西」，了解她的創作，往往和「西西的閱讀」，即她的閱讀／觀看經歷連上關係，有不少論者都曾經討論過西西小說創作中的吸收轉化，如陳潔儀的《閱讀「肥土鎮」：論西西的小說敘事》（1998），徐霞的《文學．女性．知識：西西〈哀悼乳房〉及其創作譜系研究》（2008），陳燕遐的《反叛與對話：論西西的小說》（2000）在這方面都有詳盡的論述。相比起她的小說，西西的散文則還未被深入而有系統地研究。

重讀西西，其實散文亦是她重要的文學成就。西西自言喜歡散文創作，覺得：「在聯副上寫《四塊玉》，寫得興高采烈。想想散文這一文學體裁，可以探索的天地實在廣闊。」西西其實寫了很多散文，由散文及小說集《交河》（1981）計起至 2011 年出版的《猿猴志》，共有十三本各種體式的散文、筆記、對話集，加上早期在《中國學生周報》等未全數結集的隨筆與影話，創作數量上其實並不一定比小說少。而且小說創作和散文創作一直以平衡的方式開展，可說是一手寫小說一手寫散文，散文創作並沒有中斷。西西這一部分的成就，實際有必要進一步論述說明。

西西不單寫散文，而且喜歡散文此一文學體式，甚至影響了她對小說文體的處理：「最喜歡寫不像小說的小說，所以，一些小說，被人當作散文看。其實，什麼才是小說呢？」雖然是「被人當作散文」，但這顯然是「心裡有數」而並非「無能為力」，當中有她對小說文體的創造在其中。所以去了解西西對散文文體的取態，西西對散文藝術的貢獻，也能進一步了解西西的小說世界。

西西 2009 年出版《縫熊志》，廣受歡迎和好評。書中不僅展示作者出色的毛熊手藝，也立意介紹歷史傳說中的有名人物，是很有意思的創作主題。編輯舒非把書編得漂亮，還安排西西的手作毛熊作展覽，更是個很有益的文學推廣活動。2011 年《猿猴志》繼續以手作工藝為線索，以環保為主題，大量增加了對談的篇幅，對比《縫熊志》，要表達的主題就更加明確了。西西連續推出兩本以動物為主角的散文集，是她近期的旨趣所在。我們希望通過西西的動物書寫，探索西西散文藝術的特色。

動物意象與動物書寫

華文散文寫到動物的有很多，西西的動物書寫的特性又是什麼呢？我們可以把書寫動物分為動物意象與動物書寫。前者指的是以動物為一藝術形象，動物的描繪寄託了作者的個人感受，後者則追求「無我」之境，希望平實地反映所寫的動物。許子東在〈當代華文散文中的動物意象〉（1995）對此一題目具一有趣的探索，論文以動物意象立論，討論不同時代的散文家寫動物時的不同態度，在書寫動物時，有借動物為諷喻，有歌頌動物的美好特性，也有借動物以自況。許子東在文中亦討論到兩岸動物意象的構成和不同地域的政治與文化產業的關係。當中認為：「我們看到香港散文中的貓狗兔鼠也是人工藝術多過自然的實物。」評論所指出的香港散文比較少出現的一種書寫，現正好為《猿猴志》所補足了。西西《猿猴志》中寫的既是她自製好的人工手藝，同樣亦有抒寫真實世界的動物，互相交融，也正是《猿猴志》的特色所在。

當我們在閱讀《猿猴志》時，能感受到西西希望還猿猴一個本來面目的心願，這種動物書寫表現出和一般散文寫動物所不同的取態——以動物為主體，更關注動物本身的需要，盡量貼近動物來寫。寫「指猴」，指出牠因外貌可怖，而被馬達加斯加土著追殺，寫「猴子和人一樣，外貌不合主流觀瞻，加上行徑出奇，往往受歧視」。又寫猴的習性好像老鼠不似猴子，但原來卻是靈長目動物，指猴「名叫『唉唉』，大概來自牠的叫聲，那可是對人世感嘆？想想也夠奇怪的，長相和行為被認為醜怪的動物，原是我們的表親」。這裡不是借物抒情，也不是托物言志，而是希望通過書寫動物，要我們反省人類自身的不寬容。

西西的動物書寫是一種反省的散文，希望人類作出反省，西西這樣寫：「黑猴頭頂有毛冠，整體黑色，個子健碩，性情其實很溫和。我嘗試把牠縫得出眾一些，改成驚愕之後，呵呵，你看我看你，都不過爾爾。」表現出一種物我平等的價值觀。西西認為一些猿猴的命名過程本身就帶有價值審判，在視動物為意象，甚至是視動物為怪誕的寫作，「在流行文化，流行小說、電影、漫畫裡，猿猴的形象也仍然不好，充滿偏見、誤解」。所以她希望通過平實的散文書寫，配合書中與何福仁的大量對談錄，去反思人類與大自然的關係。西西認為「閱讀猿猴，其實是閱讀我們自己，可以讀到彼此的相同，也可以讀到彼此的相異」。借動物來反省人類，是西西的動物書寫的一大課題。

一種「靜」的動物書寫

《天下散文選》(2010) 選出了 1970 年至 2010 年台灣有代表性的散文，編者鍾怡雯在序中點出台灣興起的「生態散文」，這類型的散文對生態保育問題有所探索，也有「揭發經濟對自然環境的破壞」、「提出生態保育的理念」的想法。其中陳幸蕙的〈金合歡〉(1988)，寫的正正是猿猴。

陳用帶有情感的筆觸重寫動物學者黛安・弗西在非洲觀察大猩猩時的經歷，以黛安・弗西喪生之夜起筆，在想像黛安・弗西遇害時「那柄開山刀高高舉起，薄刃閃亮如冰如鞭，一次又一次落在她背脊、腿股與足踝的同時，她便知道，自己必須宿命地在野蠻自私的利益與貪婪殘暴的人性下，成為諸多獻祭者中的一個」。作家寫得觸目驚心，保育自然的主題就更明顯，對那些盜獵者的韃伐就更有力了。

不過回看西西的動物書寫，作家雖然熱愛環境保育，也很希望為動物抱不平，但是在散文風格上並沒有刻意營造濃烈的情感，筆觸一直是克制的，是一種比較冷靜的筆調，沒寫得戲劇化。寫面貌特異的山魈是「即使偶然相遇，大家面面相覷，充其量叫囂一下，露出獠牙，臉面好看就鳴金收兵」寫機敏夜行的指猴，則是「用蜜糖引牠，牠倒懸身子，頭上腳下，從樹幹姍姍下來」。沒有打鬥沒有特技，西西不用煽情的手法寫動物，好似給看慣電視上的動物奇情的讀者來一記當頭棒喝，帶有反高潮的意味。也斯 1974 年在《中國學生周報》評說西西的散文時，曾說：「我還沒看過西西對落花嘆息」，說到西西寫人物時：「我總記得一篇〈石上〉，寫一個三歲的病女孩，寫得一點也不誇張。」不用一種僵化的態度看待事情，不誇張感情；沒有遷就主題犧牲風格，是西西的動物書寫的一大特色。她不是跟你辯論，不是要你激動，而是希望給予讀者空間，交給讀者去判斷。這種「靜」的寫法，一種給予反省空間的書寫，很具有現代散文的精神。

格動物致良知

王璞在《散文十二講》中，論及有關散文細節的組成，認為散文的細節大多來自回憶、觀察和取證三個途徑，王璞認為抒情散文的細節比較多來自回憶，取證為主的散文則比較理性，往往來自學者之筆。西西的動物散文，寫法風格上比較「靜」，而且細節多來自閱讀，這是西西散文細節組織上一個特點，這特點在西西的其他散文，例如書話、藝話、建築話上就更明顯了。

西西是位作家而非學者，除了《猿猴志》、《縫熊志》中比較重視二手資料的取證，在動物書寫上她亦有其他的發揮。如散文集《花木欄》（1990）中，寫於三十多年前的〈狒狒〉（1980），是西西散文的名篇。西西在散文中有意不用評說的句語，集中通過觀察飼養員與狒狒的一舉一動，運用一種如「錄像機」的態度去寫，帶出一種「安祥和平神態」，以及蔣暉在《香港文學史》（1997）中所說的「萬物有靈」的感覺，〈狒狒〉與《猿猴志》寫作跨度三十年，而西西迴避煽情、喜歡虛靜，不誇張的心態始終如一。可見這種要求讀者主動參與閱讀、沒有預設情感的寫法，是西西對其散文創作的基本態度。

西西喜歡動物，除了寫猿猴還寫過很多不同的物種，在《拼圖遊戲》（2001）裡寫過奇維鳥（Kiwi）、犀牛、水鴨，《花木欄》中寫過〈羊吃草〉，寫過〈倫敦動物園〉中的各式動物，《畫 / 話本》（1995）中寫過丹頂鶴，寫過被逼吃草捱餓的〈愁虎〉，小說《哨鹿》（1982）寫人鹿共生共存，鹿成為連結父親記憶的唯一線索，也是小說的核心。在西西的創作中動物很少成為符號或意象，她不喜歡白馬代表幸運這種象徵性的寫法，而更多時候能寫出動物自身的靈性，與猿猴同樣為西西所書寫的，還有貓。

在《旋轉木馬》（2001）中有西西最長篇的動物散文〈看貓〉（1994），文章最初發表於《素葉文學》第53期，後於2000年增訂完稿。文章記述好友養貓之點滴，當中的大貓小貓，應是何福仁的六首貓詩中的大花小花。〈看貓〉中寫友人養貓，絕不輕鬆，除了各種事前準備功夫，貓也並非玩偶，有牠自己的個性，例如不喜歡住鐵籠，硬要睡在主人身邊，「害得朋友一夜不敢大意」。為貓兒好，領牠去做絕育手術，回家「見到主人，生氣極了，胡胡哮叫，然後蹣跚鑽到牠最愛躲的書櫥底下，久久不出來」。西西認為「也許只有人類才懂得講異類依存的道理」，飼養動物，日常多了功夫，不過也其樂無窮。主人外出回家「牠喵喵地歡迎，主人摸摸牠的頭，問牠：今天乖不乖呀，有沒有頑皮呀？彼此都充滿歡樂」。題為〈看貓〉，散文不少細節從觀察而來，文章篇幅亦長，種種細節的安排就更見功夫。西西避用戲劇化寫法，但文章還是充滿興味，靠的是西西對作品情緒節奏的把握。貓兒喜歡四處跳，自然不乏一些危險的情形，在寫貓兒的習性時，西西寫了兩個比較有張力的細節：「沒想到尾巴擺到背後剛燒沸了的水壺，結果燒焦了一撮毛；把鼻子湊近水壺，又燒斷了兩根鬍子」，「一次牠半夜跳上床，撫撫牠，大吃一驚，頭臉四肢皆濕，原來主人忘了倒去浴室中一盆水」。這兩個「有驚無險」的細節，如果同時出現，情緒節奏會太急迫。西西則在上述兩個細節中間敘寫她和大貓玩拋乒乓球的快樂場景，保持情緒節奏疏密有致，這類貌不驚人的功夫，其實最見作家功力。

〈看貓〉的第二部分在 2000 年完稿，這部分主要寫小貓到來後，大貓小貓之間的事，多養了一隻貓，大小貓之間性情的差異慢慢就顯現出來。何福仁的詩〈初見小花：大花紀事之一〉（1996），以大貓之眼「我在書櫃上把牠覷了一個下午」，又向小貓「向牠扮一個鬼臉 / 牠居然也跟我彼此彼此」，寫大貓不滿小貓「飯後不洗臉 / 如廁後不扒沙」，詩中的大貓比較世故，比較有規則尊卑的觀念，同樣寫到排洩一事，西西寫大貓「總是替牠整理砂盆，非常乾淨，自己花許多時間梳理，一塵不染」，側重寫大貓照顧幼小的一面。

西西雖然還沒有造貓毛偶，不過在〈看貓〉中亦有為貓親手繪畫可愛的插圖，圖文並讀的確是賞心樂事。同樣寫貓，西西的〈看貓〉很容易令人想起捷克作家恰佩克（Karel Capek）寫動物的隨筆集《家有貓狗》（1997）。恰佩克寫過很多童話作品，小說有想像力，可惜後來因法西斯的逼害而病逝。《家有貓狗》同樣配有恰佩克及其兄長的手繪圖畫，隨筆風格溫馨而有幽默感，這和西西的動物書寫有一定相通的地方。不過恰佩克喜歡狗而對貓略帶不滿，西西則獨愛貓的靈性而少見寫狗。許子東在〈當代華文散文中的動物意象〉中就論述了不少作家的愛貓 / 仇貓情結，也許通過動物書寫，更能一窺不同作者內心深處的愛惡。

西西覺得動物的「生活習慣，和人並不一樣。我想，人類如果能夠多和花鳥蟲魚及小動物接觸，大概可以免於淪為萬物之霸」。西西希望「免於淪為萬物之霸」的想法，正是西西動物書寫的核心所在，同樣也是西西創作的一大重心。西西希望讀者反省以人類為萬物中心的想法，她寫動物並不止於為動物發聲，西西散文所真正關懷、念念不忘的，其實還是人類。

29 憶師婆

「也斯是你老師，我又不是師公，你可以叫我師婆。」師婆這樣介紹自己。師婆是也斯母親，我第一次到也斯銅鑼灣家見到師婆，大約是 2005 年左右。師婆有非常標準的四邑新會口音，我最初其實是不懂分辨，是習慣了聽她說話後，其他人一說新會口音我就辨認得到。

我年少（現在也是）時不擅與人相處，但奇怪和長輩都相處得好，所以結了不少忘年之交，現在想來肯定是因為長輩比較能接受我的稜角和不懂事。那個年代剛開展網上世界，電腦等等事物變化好多，也斯在努力適應這些；我中文系畢業後就在大學圖書館負責電腦工作，所以會幫也斯處理一些電腦雜務。也斯經常都非常繁忙，而且是「真忙」，一天教學接上外間文學活動，然後回覆同學電郵還再寫論文。我想當時不少也斯身邊的同伴和學生，都在無私地想方法幫助他，原因也是希望間接為香港文學做點什麼。他最常抱怨沒有時間寫詩，這句話應該在他身邊很多人都聽過，而我們都知道他最重視的是詩人的身份。

所以銅鑼灣家有什麼小雜務我都會上去看看，把事情弄好後，就會和師婆談天。也斯當時在屯門比較多，師婆一個人住，和師婆多了談天後，如果路過銅鑼灣都會打電話給她，有時上去坐坐。也因為師婆煮東西很好吃，當師婆說吃過飯再走時，我也會老實不客氣地說好。

師婆說話的時候經常掛著笑臉，那時候我工作已經轉到中學教書，師婆也和我說到她教小學時的事。師婆當時在端正小學教中文，也斯也是在那處讀小學。師婆說起教書的回憶時，眼睛總放著光，思想非常清晰，也會和我說到當時香港天台小學的情況。我知道也斯父親很早就離開了，也感受到師婆一人照顧兒子的困難，不過師婆很感謝小學的穩定工作，助她渡過初來香港的困難時期。我也問過師婆二戰時的情況，然後師婆到香港前的流離也確實很艱難，「就梗係好困難」（師婆的新會口音又在我耳邊響起），然後伴著她呵呵的笑聲。師婆的五〇年代，或者是也斯的小學年代，是也斯後來很想深刻了解的部分，而也斯追尋的「香港五十年代研究」，我相信肯定有師婆的印記在當中。

和也斯買東西時也會知道師婆的口味，例如買過年食品，我當時當然不懂，也斯就帶我去銅鑼灣么鳳買糖蓮子、糖蓮藕和糖冬瓜。也斯也很喜歡到街市，然後我們就真的在看魚檔的海鮮，當然我知道他同時是想訓練我寫作的觀察力。師婆和也斯在一起時也是很有趣的，師婆就是媽媽，也斯就是兒子。就像我媽媽說我的東西亂放，我抱怨媽媽弄不見了我的信件，這些該有的對話他們都有，不過他們是充滿溫柔的幽默感、自嘲和反諷的，語言很好品性善良的一家人。

師婆很喜歡看報紙，也喜歡看報紙上的專欄，所以說到香港文學作家，或報上的各類作者，都有很多話可說。她平日早上會到銅鑼灣商務印書館看書（我們都會笑那書店的長樓梯很不適合老人），然後到街市買菜回家，家中總是有新鮮的水果。不過師婆眼睛開始不好，有時會看不了很小的字，會說《詩經植物圖鑑》（2001）圖片多，看起來比較舒服。家中大部分書都是也斯的，也斯有很多很多書，辦公室充滿書，研究中心充滿書，屯門家充滿書，銅鑼灣家也充滿書，書由地下往上堆，然後頂天立地。也有四處旅行留下來的木雕、工藝品，和好多獎項。師婆也說過也斯在七〇年代編《四季》時，一群文藝青年在他家工作，師婆煮飯給大家吃的故事。默默支持兒子追夢，在也斯〈中午在鰂魚涌〉（1974）寫「生活是連綿的敲鑿／太多阻擋　太多粉碎」時，我相信師婆一直都在支持也斯，因為文藝這道路在香港有太多放棄的理由了。到我現在當父親，才愈來愈明白給兒女自由和空間，同時又要適當指引和支持是不容易的。

有次和師婆談天時，她才輕描淡寫說月前有天眼疾發作眼睛很痛，而且完全看不到東西，一個人摸著電梯到街上求救，再給救護車送醫院緊急手術的過程。「但又幾好」，師婆說：「手術很順利」。師婆笑說又能看清楚東西了，只是眼睛有點乾，不過病發時真的有點驚。當時也斯要到外國工作不在香港，她電話無電又找不到我。不過說這話的時候，也斯已經回香港了，他當然知道這事很久了，但他坐在飯廳另一旁聽到師婆在沙發說起時，神情還是很凝重。師婆不會激烈地表露感情，總是平平靜靜講述她自己的事，我認為師婆的品性，和也斯美感的基礎是一致的；也斯反對煽情，教寫作時經常要我們小心不要亂用誇張的形容詞，小心選擇恰如其分的表達方式，如非必要不可亂用感嘆號。欣賞侯孝賢的電影、借我影碟要我看是枝裕和的《下一站，天國》（1999）。這種美學的文字特點是力量在文字底層，耐讀而不高蹈，速食的話錯覺平淡，慢嚼則有滋味。其實看《也斯的香港》的〈安文的銅鑼灣〉，他寫女兒的同時師婆的身影每處都在，讀者再看這篇，必然明白。

很多人都說也斯是一位很熱愛香港的作家，但我認為也斯熱愛的是香港的人。也斯喜歡提醒我們讀的是人文學科，我們的核心關懷是人在這個世界做了什麼。也斯寫散文時，寫人往往是最核心的目的，《也斯的香港》寫的是在香港的人。我記得也斯曾說過我們可以通過寫作「記錄那些人們優秀的素質」。我想念和師婆談天的日子，但不知道可以和誰說，幾年後忍耐著寫；因為那個舊香港留下來的人的優秀品質，就算力有未逮，也想尋找空間記錄下來。

文藝與視界

01 大江健三郎的《為什麼孩子要上學》

《為什麼孩子要上學》（2002）是一本值得父母跟孩子一起閱讀的書。作者大江健三郎是 1994 年諾貝爾文學獎得主；本書則是作者首次針對年青人而寫的散文集。那些諾貝爾獎得主寫的常常是大塊頭的嚴肅小說，「光想起便害怕了」，有這種想法也很正常。不過，這本書他不單以「作家」的身份來寫，而更是以父親、丈夫以及兒子等身份來寫。文章共 16 篇，都是隨筆形式，而且譯文流暢，文中帶著作家溫和的反思與感情，讀之往往使人動容。

你可能會想，著名作家教養孩子和我們一般人怎能拿來比較呢！但當你知道，大江的孩子剛出生時後腦長了一個跟腦袋一樣大的腫瘤，一出生就要接受連串大手術，終身維持著止於六歲小孩的說話與活動能力。「我的孩子為什麼要上學？」就變成一個必須解答的問題。父親大江在家已經可以教養他，為什麼孩子「光」還要到特殊學校，每天都要忍受不同特殊需要的孩子的不斷尖叫呢？

連大江健三郎自己都找不到這個問題的答案，孩子大江光卻用自身的力量找到了。光找到了同樣不喜歡噪音的朋友，幫助朋友上廁所，更和朋友一起找 CD 來聽，漸漸進入古典音樂的世界，最終更學懂作曲，運用音樂表達自己。上學其實真的不是求分數，怎樣面對世界，與喜歡與不喜歡的人溝通，幫助別人，互助成長，學校其實有不可取代的作用。

大江健三郎問「為什麼孩子要上學」，其實也是他自己一直在探求的事。大江的童年時日本於二戰中戰敗投降。大江不明白為什麼在那年盛夏暑假之前，老師們還是在說「天皇是『神』，要我們朝著相片膜拜，還說美國人不是人，是鬼、是野獸」，但戰敗之後的新學年開學以後，卻若無其事地在教：「我們天皇也是人，而美國人則是朋友。」當時的大江覺得，在學校學習，也許不及在森林中學習樹木呢。

可是有一天大江卻在森林中意外昏迷，然後重病不起了。

「我聽到醫生說『這個孩子快死了，已經沒救了』。他認為我會死吧！」

「母親沉默了一會兒，然後說：『就算你真的死了，我還是會再把你生下來，別擔心。』」

「但是，那個小孩子和現在就要死掉的我，應該是不一樣的孩子吧？」

「不，是一樣的！我一生下你之後，就會把你過去看到的、聽到的、讀到的、做過的事全部都講給新的你聽，也會教新的你說現在會講的話，所以，你們兩個就會一模一樣了。」

之後慢慢康復的大江，有時還會想：「現在在這裡的我，會不會是那發燒痛苦的孩子死掉後，媽媽再次生出來的新小孩呢」，而我們一起在學習的孩子，又是不是都是代替那些在戰爭中死去了的孩子活下來呢？而獨自一個人跑到森林中，對照著植物圖鑑和眼前的樹木，並不能代替死去的孩子，不能和他同化，變成新的小孩。所以，我們必須到學校來，大家一起讀書、一起遊戲。」

這就是大江對為什麼孩子要上學的回答。

02 大江健三郎與被「換取」的日本

日本作家大江健三郎是 1994 年諾貝爾文學獎得主，在 2023 年春天離開了我們，我們在此一起懷念他的文學成就。我曾經同大家介紹過《為什麼孩子要上學》這部散文集，散文集中有寫下不少大江健三郎的童年往事，也寫到他童年時生活在日本四國山區森林的往事。他在森林的生活中，同一時間感受到森林的神聖與當中的暴力與原始。大江健三郎的森林描寫不僅從神秘的角度出發，也包含著文化人類學的意味，例如民族學、村民的習俗等。他經常說自己的樹下，意思是每個人都有一棵自己的樹在山上，這個據他說，就是他鄉下的神話。森林中的樹其實與當地居民和靈魂的再生有著密切的關係。同一時間在大江的小說中，森林經常是暴力場面發生的場景。善惡同時在森林存在。

大江健三郎在諾貝爾文學獎頒獎典禮，發表了演說〈曖昧的日本的我〉，嘗試表達日本人戰後那種猶豫、不確定的狀態。當中又說到：「我在文學上最基本的風格，就是從個人的具體性出發，力圖將它們與社會、國家和世界連接起來。」大江的小說，往往通過自身真實人生的經歷所提煉，好像日本「私小說」一般講述自己的私隱的感覺，但小說發展卻是事實與虛構交錯，成為了一場日常生活中的冒險。

之前也提到，大江小孩的後腦長了很大的腫瘤，後來做了很多手術，得到很好的醫生治療，終被救回了。但兒子的智力和整體發展仍出現了問題。一般人來說，都覺得這種事情很難有「出路」。但是在這樣的情況下，大江健三郎卻找到了兒子的潛能，大江光長大後成為了一位知名的作曲家。以父親的角度來看，大江真的很厲害；而且他還通過自身的經驗，發掘到與兒子生活的寫作主題，這就更值得稱道了。

小說《靜靜的生活》（1990）寫的是大江健三郎要去外國駐校的時期。小說中聲稱，他因陷入寫作瓶頸和人生困境而陷入憂鬱，想逃到森林裡去，他太太擔心他一個人，就一起去。於是他家的三兄妹獨自在東京過了一年的生活，遇到了一些挑戰。例如已經長大成人的大江光，顯然有正常的性慾需要面對，同時居住的社區又出現了性罪犯。妹妹就很擔心是哥哥自控能力有問題所致，最後幸好是虛驚一場，哥哥只是被鄰居琴聲吸引才失蹤了。妹妹又有了一些感情問題，陷入了危險，哥哥及時保護了他。小說有趣的是大家都覺得大江光是需要被照顧的一位，但其實光卻用自己的方法守護了他身邊的每一個人。小說表面上好似真的沒有大事發生，但事實上卻不是如此。

《靜靜的生活》是一個表面平靜但其實有很多內在衝突的小說。《靜靜的生活》曾經改編成電影，由伊丹十三執導。伊丹十三這位導演是伊丹萬作的兒子，是導演世家，伊丹十三的妹妹是大江健三郎的妻子。所以《靜靜的生活》既是大江的家庭故事，同時也是伊丹的家庭故事。電影和小說都並不難找到，月前香港更有伊丹十三的回顧展，有興趣的讀者可以找來看。

在《靜靜的生活》的電影版本當中，我認為伊丹非常巧妙、有趣地呈現了原著的故事情節。正如我們之前談到的很多主題一樣，例如四國森林。在伊丹十三的改編中，他採用高度現實主義的手法，但卻添加了一些幽微、詩意的元素，例如當大江光的祖母在大伯的拜祭中提到四國森林的故事時，我們可以看到一班小朋友螺旋式飛回森林的場景，這個「尋找自己的樹」的呈現方式，就是伊丹十三對大江所述說森林神話的解讀方式。

小說中姐姐差一點就被父親的仇敵傷害，幸好對聲音敏感的哥哥聽出了異樣而解救了大家。最後哥哥也克服了對身體的控制學懂了游泳。大江光說，他對這段日子的音樂提供了一個題目。他姐姐問寫了這些音樂關於我們的生活，叫什麼題目？然後大江光說，就叫《靜靜的生活》吧。光的溫柔和善良，在小說與電影中都表現了出來。

《換取的孩子》是大江健三郎於 2002 年出版的小說。現實中，大江健三郎的多年好友，導演伊丹十三從辦公室跳樓自盡。在小說當中，主角長江古義人對應大江健三郎，吾良則對應伊丹十三。在吾良自殺前，他向古義人寄去五十盒錄音帶和叫作「田龜」的錄音機。古義人深信在「田龜」中有吾良留給他的重要信息。於是就訂下了規則，用對話的方式，借「田龜」和去世的友人吾良展開「對談」。我在看小說時首先就驚訝他的這種敘述方式，把小說「自說自話」的本質發揮到極致。在 2023 年的今天，「田龜」實在令我聯想到和人工智能生成系統對話。在外人看上去古義人與「田龜」對話當然是種沉迷；但面對失去所愛的人，誰人不需要「田龜」呢？

所以這個小說，我判斷的基礎還是大江自我療傷的小說。大江健三郎確實需要「田龜」，確實要一個好友離開的理由。在小說第五章的最末部分，已經展示了二人小說家和電影人之路，二人在靜靜坐著：「吾良想出一個構圖，將鏡子放在排好的這些紙張上，拍下鏡子裡古義人的側臉。拍完照，已近天明。古義人說也該為吾良拍幾張，吾良謝絕道：『我大概會以動態的照片維生，你八成也不會玩相機，只會選擇筆耕生涯，所以還是用你的筆寫文章紀念我吧。』」然後書中下一頁確實放了一張大江年輕時的照片。我還記得年輕的我第一次看到照片時，心情真的整個沉了下來。

小說名字叫作「換取的孩子」，小說的關鍵也在於此。小說發展到中間部分，古義人收到吾良生前打算拍成電影，寫實描述關於影響二人一生的「那件事」的分鏡頭劇本。在劇本中，一班國家主義者從美軍手上獲取一些在韓戰中報廢的槍械。他們會拿著槍械假裝攻擊美軍基地，然後被美軍掃射。他們打算用這種自殺式的行為表達對美國佔領的抗議。他們想利用少年時很帥氣的吾良，來勾引其中一位美軍彼得。

寫出來的電影劇本留下了兩個版本的結局。一個版本是彼得和吾良沒有發生關係，不過彼得那群國家主義者找了其他少男少女來滿足彼得以獲取武器。另一個版本就更加恐怖，就是這群人把彼得殺了，然後搶了他的槍械。那劇本可說是現實的面具之上的小說虛構之中的劇本虛構，結局還是要有兩個版本。但描寫的過程卻是寫實得不得了。然後Changeling，換取這個字就在小說中出現了，古義人認為這就是吾良自殺的真相，因為這件有罪的事之後，吾良就被「換取」了，好像是同一個人，但其實內心已經完全失落了。

我是很喜歡「換取」這個概念，有時人得到智慧或教訓，都是一瞬間的事。有人說過「我一直以為人是慢慢變老的，其實不是，人是一瞬間變老的」。有時有些少年回憶就是會一直影響人生，揮之不去。

03 純粹以汽車的角度
——讀村上春樹的〈Drive my Car〉

最近村上春樹的短篇〈Drive my Car〉獲改編成電影並上映了，在看電影前先把閱讀感受記下來。小說出自小說集《沒有女人的男人們》(2014)，可算是一部主題最明顯集中的小說集。全書的小說就圍繞著各種「失去」的主題。〈Drive my Car〉講的故事其實並不難理解，喜劇演員男主角家福的太太因病離世，家福因為醉酒駕駛，找了一位年輕的職業司機美沙紀，代為駕駛坐駕。漸漸熟悉下，家福開始向美沙紀透露他心中的委曲。原來家福一直知道太太有外遇，但在妻子離開以後，家福卻自動接近同樣是演員的外遇男子高槻，兩人定期出外飲酒，並談到妻子生前的種種細節。家福身為喜劇演員很難對外表現傷痛，對高槻談太太，對美沙紀談高槻，也是家福自我療傷的方式。

這個「意料之外，情理之中」的情節結構，是這小說作者講述底層故事的方法。我們怎樣面對沒有原由的喪失呢？村上試著回答這個問題，而且這個問題反覆出現在他的小說當中，例如他其中一篇最出色的短篇也曾經被改編成電影的〈東尼瀧谷〉一樣。城市的寂寞是一種過於喧鬧的寂寞，人在看似繁華的外表之下，往往不能分享自身的真實感受，在今天社交媒體盛行之下更是如此。

村上春樹的短篇〈Drive my Car〉可以說是〈東尼瀧谷〉的姊妹篇，探索中年男性遭遇不幸的寂寞，但為什麼這個短篇會叫作「Drive my Car」呢？在村上的小說，「事物」經常是敘事的重要一環，出現過的音樂、書本、車子，都和故事內容有關。小說主角家福的車子是一架 SAAB 900，並一再出現在小說當中，這車有什麼特別呢？SAAB 是一間已經倒閉的瑞典車廠，在二戰時本是一間噴射飛機生產商，在戰後則轉營成汽車生產公司。車廠本身以強烈的設計色彩見長，也曾在八〇年代就使用渦輪增壓引擎而受大眾喜愛。車體結構也非常堅固，安全性高，因此在八〇、九〇年代曾經很受專業人士尤其是建築師所喜愛。而在車廠倒閉後，車迷的熱愛沒有減少，並且組織成社群，繼續維修車子，並在網上訴說對 SAAB 的熱愛。

那和小說有何關係呢？首先，小說寫作的時候正是 SAAB 倒閉之後，車廠的結束與小說中主角太太的離開成為一個「重像」。小說中主角努力修理保養車子，正與努力守護與亡妻的回憶一致。第二，主角最初並不特別喜歡這架黃色的開篷車，但是妻子很喜歡，因此他努力去適應和改變自己，慢慢變得也喜歡車子。這也象徵主角和太太之間的性格不合。第三，進一步講「Drive my Car」這個標題，也可以成為一個隱喻，一部「物語」，借一個故事記念一樣物件。欣賞小說家的匠心，也是一種閱讀樂趣。

04 音樂是了解村上的方式

——《沒有色彩的多崎作和他的巡禮之年》

《沒有色彩的多崎作和他的巡禮之年》（2013）是村上春樹的長篇小說。小說有一個非常慘淡的開始：「從大學二年級的 7 月到次年 1 月這段時間，多崎作幾乎只是在考慮一件事 —— 死亡。」但我卻認為這小說是近二十年來村上春樹最為溫暖人心的長篇。小說主角多崎作和四個高中朋友，組成一個三男兩女的親密朋友圈，而他的四位朋友姓氏分別都帶有「赤」、「青」、「白」、「黑」等等的顏色字，而主角自己覺得「多崎」這姓氏在他們當中好似是「沒有色彩的」。而他和朋友之間的這種微小的差異，就像我們在年輕時都經歷過的，和同儕之間諸如出生年月日星座血型等相類的「緣分」，多崎作經常覺得自己是當中唯一沒有色彩而平庸的一個，而且有時會暗自擔心，自己會在這五人共同體中被排除掉。而結果也真是在那天，沒有任何說明之下，那四人同時與多崎作絕交了。

在村上春樹的小說中，個人內心處於破碎狀態的人絕對不少，重點往往是怎樣得到力量，從個人的低谷中活過來；又或者選擇花力氣去遺忘以繼續人生。小說開始的時間點，主角已經 36 歲了，開始和一位叫沙羅的女生談戀愛。而當沙羅發現主角過去的生命陰影時，則告訴他：「就算能把記憶巧妙地藏在什麼地方，就算已經完全沉到深深的地方去了，但並不能消除那所造成的歷史。」沙羅堅持主角要回去尋找他往日的友好，說清楚當日所發生的事情，尋求真相。於是多崎作踏上他的「巡禮」旅程，回到過去事實與真相被埋葬的地方。

那什麼是巡禮之年呢？《巡禮之年》是李斯特（Franz Liszt）的鋼琴獨奏專輯，記錄作曲家一段壯遊（Grand Tour）的經歷。在小說中，巡禮之年出現之處則是多崎作在東京的大學一段孤獨生活時所聽的作品。如你要問我為什麼是李斯特的作品？我想必然是該輯第八曲「鄉愁」一開始那種非常不安定的情緒，與及之後那些溫暖的音階吧。村上春樹的小說中總會有音樂，小說與音樂的結合非常值得大家細聽。

不過巡禮一詞，則有著更深刻的意思在。巡禮在日本有獨特的意思，大概可以理解為「帶有明確目標的旅程」，例如神社巡禮則帶有朝聖的意味，又例如日本思想家和辻哲郎的《古寺巡禮》（1919）則是作家記錄奈良一帶佛教寺廟的作品。所以巡禮和旅遊不同，旅遊可以無所用心，但巡禮則帶有自我必須完成的任務。有時，人就是必須要到某一個地方，撿拾自己的過去，放下懸而未解的結。這一次多崎作的巡禮之年，對解開他的心結非常重要，而正因為是「巡禮」，多崎作有了充足準備，也有女友沙羅心理上的支持下出發從東京回到名古屋，這也為小說建立了療傷氣氛的基調。當他發現他的好友是因為「如此」原因而絕交時，他也更能好好面對他的過往，如同村上的短篇〈第一人稱單數〉，有時不管你有或者沒有做錯什麼，遺憾與傷害就是會出現，怎樣活下去，才是學問。

05 村上春樹的《第一人稱單數》和《村上 T》

《第一人稱單數》（2020）是村上春樹的短篇小說集，當中我最喜歡的就是〈第一人稱單數〉。村上春樹喜歡用長篇與短篇相間的節奏寫作，他視短篇為構思重要意念的場所。所以，有時村上的短篇故事上不一定非常完整，但你會從中看到一些透視人性人心的描寫在當中，如果仔細感受的話，就會發現村上短篇的衝擊力。

好像在〈第一人稱單數〉中，小說就問一個很重要的問題：「你能完整記得你所做過的所有事嗎？會不會有你已經忘記了，但對你自身或他人有重要影響的事？」主角忽爾想穿西裝到街上走走，然後隨意到酒吧看書喝一杯，卻發現有一位女孩注視自己。女孩竟然主動發話，而且還帶有敵意，刻意攻擊主角的衣著和嘲諷他在酒吧看書。主角沒有回擊，只是好奇為何會這樣。然後女孩表明來意，說主角「對西服很了解」，而且：「三年前在某個水邊，做了多麼過分多麼殘忍的事。」

主角逃離酒吧，驚訝於女孩所說的他好像是另一個自己，而且對於所謂「水邊」發生的事全無記憶。主角不是討厭給人指控，而是如果那些指控為真，那麼「我」還不只是我，第一人稱竟是眾數。小說氣氛的設計精彩，主角身處穩固的現實被步步瓦解，但所提出的問題，卻是深刻而有味。

《村上 T》（2020）是村上春樹的圖文集，集結了他有關 T 恤的專欄文字。要承認這部書是粉絲向的，應該是愛讀村上春樹文字的人會讀的書。但是，這書的主題又是 T 恤，以男裝流行來說，T 恤可真是核心中的核心，就算對村上的文字沒有太大感覺，只要知道村上長時間在世界各地旅居，並且一直有長時間四處尋找 T 恤的興趣，那麼可能連平時不看書的讀者，也會有翻一翻本書的衝動。

村上春樹的散文其實很好讀，有些習慣閱讀劇情的小說讀者會覺得村上春樹的長篇結構比較散漫，這其實當然是村上小說的文字特色，而這種散漫、跳躍、混雜著生活觸感與洞見的行文，在隨筆散文就非常合拍。日本有好強的「物語」傳統，物語其實就是虛構故事的意思。同樣，日本文學傳統中，一些日常之物，往往會成為故事的主線，或者是連接全篇故事的重要道具。

先前所不知道，對了解他的小說最最重要的一件 T 恤，應該就是寫著「Tony 瀧谷」（Tony Takitani）的那件，是他在毛伊島以一美元買下的。當時他就覺得叫作 Tony 瀑布的人會是怎樣的人生。所以寫下了同名的中篇小說，及後再改編成電影。一美元，在作家手上，真的會變成金子呢。

06 村上筆下純粹的孤獨

——〈東尼瀧谷〉

村上春樹的短篇小說〈東尼瀧谷〉來自小說集《萊辛頓的幽靈》(1998)。和我們先前討論過的〈Drive my Car〉一樣,〈東尼瀧谷〉也曾改編成電影,同樣非常成功。東尼瀧谷自小被歧視。他父親喜歡享受生活,對東尼說:「不過不管走的是什麼,人終究會變成孤獨一個人的。」東尼是個獨生子,沒有朋友。但他很堅強,只覺得獨處是一種習慣。在美術大學畢業後,很快便一個人生活。雖然他畫畫很漂亮,但沒有藝術家的創作力,但高超的模仿力令他在商業世界非常成功。而他一直也不覺得怎樣,但他偶然碰到一個女孩,在電影中是宮澤理惠。後來發展也順利,很快就結了婚,住在東京很好的地方。

妻子很喜歡買衣服,而東尼瀧谷很疼錫妻子,給她花了很多錢,甚至把幾個房間也變成衣櫃。東尼瀧谷原本覺得錢能夠應付便沒關係,但發現家中衣服愈積愈多,於是他很婉轉地說不如買少一點。太太則說「我只是單純的無法停止購買而已,就像上了什麼癮一樣」。村上春樹的小說,常有這種情節,當一個人受慾望所纏,便沒有任何方法去控制。妻子決定把全新的衣服退回去,而就在駕車回家途中,她一邊想著那些衣服,然後失神就撞車了。

東尼瀧谷的妻子突然地就死了。他回到孤獨的狀態，但又怎能回去呢？命運有時實在沒有辦法扭轉，〈東尼瀧谷〉寫的大概是這個狀態。

村上春樹的短篇小說〈東尼瀧谷〉所討論的是寂寞。面對突然離世的妻子，東尼其實不能承受，因為沒有人「真正」喜歡完全孤獨。他對妻子求婚時訴說：「一直以來，我的人生也不覺得孤獨，但自從見了你以後，我便發現人生前所未有的孤獨。」我們有時遇見了他或她以後，人生便不一樣。

東尼用了一個非常合理又非常怪誕的方法去面對傷痛。他登報請秘書，一個女孩來見工（在電影中還是宮澤理惠），東尼說很簡單，請她每天穿著妻子的這些衣服，沖咖啡，在家閒坐就可以了，工資還非常高。東尼也坦白跟她說，妻子剛死了，他需要一點時間適應，於是請她拿了一星期份量的衣服，便可以回家了。但東尼後來又認為這樣不對，然後便叫女孩不用再來了。

我們只要離開東尼遠一點，就能知道那是他自救的嘗試，也是整個故事的關鍵，但他還是把那門關閉了。他賣掉所有衣服，面對空蕩蕩的家，覺得很討厭，生活很討厭，所有事情都很討厭，但也繼續生活下去。兩年後，他的父親也死了。父親留下大量唱片，在他妻子的服裝間堆積如山，最後他也把所有唱片全部丟掉。小說最後：「唱片的山完全消失之後，東尼瀧谷這回真的變成孤伶伶孑然一身了。」

小說就這樣完結了，真是殘忍！其實村上在這處是下了重手，他把角色完全放在絕路，完全不給任何空間，就像卡夫卡的〈在法的門前〉一樣。他之後就絕少完全不給他筆下的角色任何希望，例如〈Drive my Car〉，希望和救贖也許遲來，但永遠都在。又像電影版《東尼瀧谷》（2004）最後，導演平添了一場，宮澤理惠再打電話給東尼瀧谷，電話響著響著，他有聽到？還是沒有聽到？

07 我們都在往太陽之西的路上

——《國境之南　太陽之西》

村上春樹的《國境之南　太陽之西》是其 1992 年出版的長篇小說。這小說應該不是村上最有名的小說，不過是透視村上春樹世界的重要鑰匙，因為小說結構非常簡單純粹。

故事講述一位男孩「阿始」與一位女孩「島本」的愛情故事，故事結構簡單，他們在小學的時候相識，二人互相親近。不過到升中之後因為轉校搬家而分開。直至三十多歲的時候，二人重遇，愛情故事亦正式開展。所謂國境之南，代表美好的東西，也代表跨不過的邊界，兩人可望而不可得的幸福結局。

當他們兩人重遇時，他們都可以說是標準的中產階級了，要拋棄所有去私奔，也是可能的；而這故事正是因為有這一可能才成立。男女主角「阿始」與「島本」這種愛情故事其實非常香港。這類現代愛情故事和古典風的淒美愛情故事不同。其實不少八〇、九〇年代中長大的香港人也面對著相同的情況，我們成長在非常發達的香港社會，但情感部分是否代表成長得健康圓滿，心靈充實滿足呢？這可不一定。物資充裕下仍會出現愛情的悲劇。人的內心有很多脆弱的面貌是難以表述及被理解的，而《國境之南　太陽之西》正正就講述了這一部分。

《國境之南　太陽之西》是一部我經常重讀的小說。最近這次讀此小說，我感到興趣的是「轉校」在這故事中的意義，升學可以說是香港不少人都經歷的階段，當中無可避免把友情、歸屬感等情感關係終結。而小學升中學，又伴隨青春期，當中可以說是天翻地覆的改變，而我們竟然往往都輕視了當中的影響。

小說中說到八〇年代日本家庭比較少獨生子女，而主角「阿始」和「島本」就是獨生子女的故事，而他倆也的確感受到成長時的孤獨和脆弱。「獨生子」這詞，現在已經很少人提到了，因為出身率下降，獨生已經成為主流。所以這小說所寫的獨生故事，可能在今天有更多人獲得共鳴。

但轉校的情節所以重要，在於問題是：「我們是怎樣放棄掉東西的？」我們在放棄掉重要的人事和關係時，有時不知道那是對自己很重要的。誰能知道小學的青梅竹馬是一生所掛念之人呢？其實我們都不知道。但同時在成長的過程中太多變化，對很多人來說，放棄掉東西的過程總是不知不覺，但如果想要反悔，想要尋回，那要花費的代價可是很大的。而《國境之南　太陽之西》，很敏感的，把轉校這種屬於現代的人口高度流動所引致的離散，化成小說寫了出來。單是這一點，就已經相當獨特了。

08 遺憾與追悔的代價

——《大亨小傳》

《大亨小傳》（1925）又譯作《了不起的蓋茨比》，是史考特・費茲傑羅的長篇小說。看過幾個譯本，也和原文比對過，這書要翻譯得好並不容易。老師劉紹銘教授必定推薦喬志高的譯本。近年也有里安納度狄卡比奧主演的電影改編，要看到這故事也很容易。

《大亨小傳》是蓋茨比與黛西的愛情故事。故事的敘事主要來自黛西的表兄尼克。這令小說在一般的愛情小說上增添了旁觀與批評的角度。我們一開始會覺得蓋茨比是一位充滿謊言的登徒浪子，但漸漸則發現蓋茨比所做的一切都是為了與黛西重逢。尼克與蓋茨比的友情一步步建立起來，而蓋茨比是一戰老兵的故事，幾乎完全被二〇年代初期美國戰後的經濟繁榮所蓋過而遺忘。尼克則顯然不適應紐約的狂歡氣氛，一直努力融入而不算成功，反而覺得表面浮誇造作的蓋茨比只是自我保護，其實有真情在。但蓋茨比希望做到的是「Repeat the past」，把幾年前與黛西錯失的愛情與時間從頭來過。但人生又怎能重來呢？黛西已經有了丈夫、女兒，早已不是往日的那個女孩了，尼克知道，黛西丈夫知道，作者費茲傑羅也知道，只是蓋茨比不知道；或許是，我們的大亨全都知道，只是拒絕接受，因為愛情有時並無退路。

面對愛情到什麼地步放棄或者不放棄，永遠都難以尋得答案。蓋茨比經營不見得光的事業而得來暴發之財，小說對此沒有什麼批判，可見這小說道德判斷的核心，還是在於故事中人對他人感情是否忠實。

蓋茨比是位專一的情痴，對黛西的感情毫無保留，與尼克的友誼也是真摯。相反，小說使人感到無奈的卻是黛西。黛西是位漂亮純真備受保護的角色，黛西當然知道這樣被控制的人生有問題，卻無意離開這舒適圈。到真的面對考驗時，黛西顯然不想放棄高尚的社會地位。而在結局交通意外發生之後，蓋茨比一心希望保護黛西，而作者亦暗示了黛西的冷酷無情。

所以《大亨小傳》的愛情存在於蓋茨比的腦袋裡，對黛西來說已經逝去的愛情就回不來了。和蓋茨比相比，他們的愛並不對等，當愛情需要伴隨犧牲時，黛西就卻步了。這小說的其中一個主題是時間，蓋茨比一心希望愛情可以重來，把當日的遺憾彌補。而費茲傑羅在小說想說的，就是要彌補遺憾往往並不可能。但我們又怎能對抗這種慾望？當有機會時，我們可能還是會出錯。而小說的結尾一句也令人莞爾：

> So we beat on, boats against the current, borne back ceaselessly into the past.
>
> 總會有一個清朗的早晨，我們會揚帆前進，一路逆往水流行舟，而浪潮奔流不歇，又將我們推翻過去。

現在我們可以把《大亨小傳》和《國境之南　太陽之西》合在一起看，應該可以看到村上春樹怎樣接受費茲傑羅的影響。村上春樹在八〇年代就翻譯過很多費茲傑羅的小說，也翻譯過《大亨小傳》，可說是位費茲傑羅的粉絲。

用一種武斷的說法，在《國境之南》中，村上春樹嘗試用日本八〇年代日本的繁榮背景去重寫一次日本版的《大亨小傳》，同樣去寫一段重遇的愛情，雖然故事的主角不再是位大亨，是一個中產階層，但村上春樹想做的就是這樣。

在《國境之南》當中，小說的敘事者是主角阿始，這和《大亨小傳》用旁觀者尼克作敘事有所不同。我們會更傾向以阿始的角度來看事物，這也令我們更能對這一段愛情故事有所共情。而這樣簡化了結構，可以說是村上作品中少數的，可說是類型化的愛情小說。村上這樣做，使他更專注於小說氣氛的浸沉，把兩人重遇的部分寫活了。

島本相比於《大亨小傳》的黛西，在愛情上非常忠實，可說是比阿始更為忠實。這也令《國境之南》增加了殉情的意味。「阿始」與「島本」之間刻骨銘心的感情，小說借了艾靈頓公爵的爵士樂曲〈Star-Crossed Lovers〉為比喻，眾所周知這來自於《羅密歐與茱麗葉》。而真正好似了不起的蓋茨比的角色，其實是女主角島本，他們可說都在各自的小說中殉情了。追悔的代價，往往可能花光一切也追不回來。

09 門僅僅是為你而開

——〈在法的門前〉

卡夫卡的〈在法的門前〉是他的長篇小說《審判》（1925）中的一個故事，當成是獨立的故事來看也無不可。卡夫卡的故事充滿荒誕的想像，但往往卻揭露了現實的本質。故事是這樣的：在法的門前站了一個警衛，有一個人走過去，但警衛說你現在不能夠進去。

那麼何時可以進去呢？那個人問。但警衛還是說現在不能進去，將來或者可以，總之現在不行。於是那個人就在門口等，一直等。門一直是打開的，但他一直等，等了很久。他說他真的很想進去，那怎麼辦呢？警衛說打倒他就可以了，但你進去以後又會看見另一個警衛，你要再打倒他。警衛會不斷出現，一個比一個強，有勇氣便進去吧。於是那人怕了，便放棄。

但警衛說，還是有機會可以進去的，只要你等就可以了。於是他就等。一直等了很多年，繼續等，等到老年。臨死前，他再請求警衛說他真的很想進去。警衛見他快要死了，就大聲跟他說：「這裡再沒有人能夠進去了，因為這道大門僅僅是為你而開的。我現在就去把它關上。」

這是一個高度抽象的故事。有一道門在面前，門是打開的，然後有一個警衛，不讓你進去，只叫你等，你等還是不等？到死的時候，卻告訴你那道門只是為你而開的。這是一個很卡夫卡的故事。門是打開的，你可以選擇進去還是不進去，但然後你在選擇中迷失，無論是選擇 A 還是選擇 B，結果也是一樣。「法」的意思可能是人生的真理，也可以是你所追求的任何東西，甚至乎是愛情呢。

10 所有的後果都沒有寫出來

——〈帶小狗的女士〉

契訶夫的短篇小說〈帶小狗的女士〉（1899），來自一個新譯本。契訶夫是我青年時代起最喜歡的俄國小說家，今日回看的原因非常簡單：那些故事簡單得令人心碎。

〈帶小狗的女人〉說什麼呢？可說是個尋常壞男人與好女人的故事。男主角認為妻子不是他心目中愛的人，他四十歲，已經有一個女兒、兩個兒子。大抵我們可說是已經安定下來。但他不承認終結，便經常外出飲酒，也經常閒著無事的四處閒遊，於是在景點見到帶小狗的女主角。這位女孩去旅行也帶小狗，多少象徵著充滿牽繫的形象，而吸引了男主角。

故事發展也不複雜，就是調情。男人就逗逗小狗玩，和她聊聊天，漸漸發展成情人之後發生關係。在房間中那個女孩卻哭了，然後說自己現在變了卑鄙下賤的女人，這樣的情況使人同情對吧？

但契訶夫是這樣寫的：「古羅夫聽得很沒趣，她那天真的語氣、出人意料又不合宜的懺悔，讓他很不舒服；如果不是她眼淚盈眶，可能會讓人以為，她是在開玩笑或是演戲吧。」這種寫法真是精彩，他竟然寫那個男人覺得很煩。在小說的第一階段，男主角似乎並不愛這個女人，契訶夫並沒有寫成煽情，而是聚焦男人的視角，寫中年危機的他投入自我設定角色，自覺是個大玩家，覺得這種女性牽繫與脆弱得很討厭，其實哪有這麼簡單。真是簡單得令人心碎。

契訶夫在〈帶小狗的女士〉用一種日常生活的用語和場景去寫平凡人物的故事，這在他所屬的時代屬於創新，也是今天我們所理解的現代小說的起點。故事講到小說的男女主角在一個旅行城市偶遇而開展感情。然後女主角接到丈夫的電報，催促她回去。

我們那位想當壞男人的主角心想樂得她離開，可卻原來並不如此，他發現自己愈來愈想念她。契訶夫這樣寫：「在想像中昔日種種與未來混淆了——安娜・謝爾蓋耶夫娜並不是在他夢中，而是如影隨影地跟在他身後，坐在他身旁。」契訶夫寫得最精彩獨到的是，男主角是在想念那個女人，在想像那女人時，才真正愛上了她，是當她已經不在的時候才確認愛上了。這有點像張愛玲〈傾城之戀〉的狀態，可能愛情都是這樣。

愛情都是這樣。怎麼辦呢？那就不是一次浪漫調情了。原來自以為控制大局的男主角，來到這一刻，變得很混亂，女孩已經回去了，他也回到莫斯科，才發現自己已經無法忍耐。他決定離家去找她，那就真是非常「大件事」了。

女主角與丈夫的生活不愉快。他最終找到了女主角，於是發展成一段情感關係，這位深陷中年危機的男主角：「兩手摟住她的肩膀是溫柔而顫抖的。他為這個生命感到同情，儘管目前依然這麼溫暖美好，但顯然已將近消逝枯萎，一如他的生命。」所有的後果都沒有寫出來。契訶夫沒有寫他們之後的事。也許正如其他尋常人物一樣。

11 那些愛情的恐懼
——〈小玩笑〉

〈小玩笑〉是俄國作家契訶夫的短篇小說，收在《帶小狗的女士：契訶夫小說新選新譯》(2010) 中。在大學圖書館會找到汝龍譯的契訶夫小說集，薄薄的一本共有幾十本，我開始讀時已經知道契訶夫是很好的作家，也知道契訶夫的小說英譯是少數英文系會讀的翻譯小說，還是哈羅德·布魯姆《西方正典》(1994) 中所說對短篇小說系統有巨大影響力的作家。不過到我讀他一本本的小說時，卻能純粹地享受當中的故事，契訶夫也是我心中短篇小說的最高標準。

〈小玩笑〉很短的，故事很簡單，一男一女，年輕人，畢業旅行滑雪。女孩膽子很小，覺得害怕，不敢滑。男孩卻慫恿她一起玩吧，於是他們一起坐上雪橇，女孩子坐前面，男孩子坐後面。滑下去的時候風不斷在他們耳邊呼嘯狂嚎著，總之很可怕。而在最可怕的時候，男孩卻在女孩耳邊輕聲說：「我愛你」。因為風聲很大，女孩子聽不清楚，滑到底的時候，整張臉都變白了，然後她問那男孩有沒有說什麼。男孩說沒有。到第二天，女孩子竟然說：不如再玩一次，但她仍然很怕。如是者他們每天都滑雪橇，直至旅行完結。

有一天，女孩問男孩當時有沒有說什麼，男孩又再等到風最大的時候，在女孩耳邊說「我愛你」；女孩很快樂同時哭了起來。此後他們真正的分開了，時間一轉大家都老了。

小說最後是男生的讀白：「我現在年歲老了些，已經不能明白，那時候我為什麼要說那句話，為什麼要開玩笑……」明寫女孩，真正寫的卻是男孩。我們也許都試過，在年輕的時候，用玩笑去遮掩自己的真實情感。女孩比較早知道，男孩則比較遲。

12 充滿奇趣的小說家遠藤周作

遠藤周作的散文集《狐狸庵食道樂》(2009)當得上奇趣兩字。小說與散文有時很接近，有時很不同，遠藤周作就很能把握到散文隨筆的特性，寫出與他小說完全不同風貌的作品。遠藤周作的小說不少都有很沉重的主題，但在《狐狸庵食道樂》中，遠藤周作就樂於當個「為食」的普通人，去寫他居家吃喝或四出尋味的點滴。他寫現在的白飯沒有了味道，寫東京沒有好吃的壽司，寫他喜歡的中國菜小餐館和最愛的港式豆豉焗蟹，每每總有精彩之筆。像在〈米飯的事〉中說他每次寫信給旅居外地的日本友人，結尾都會戲謔一句:「想必每天吃牛排、奶油的大哥您，現在根本不會想吃這樣的米飯吧。」使得人在異地的友人為之絕倒。米飯憶起鄉愁，食物連繫記憶，大概是中日共通的事吧。

「食道樂」按遠藤的意思就是以自己的舌頭判斷美味，四處漫遊發現市井小店滋味的人。所以他討厭那些裝腔作勢，老闆是日本人，卻要用法文和日本顧客溝通的法國餐廳。遠藤不喜歡偽裝的高級，卻喜愛吃鄉村小店的鰻魚飯。在遠藤眼中，食物與名氣無關，卻和地方與個人經驗相通，文中他評價一位前輩的飲食散文時說:「『吃』對先生來說，也等同於『活著』這件事。」「活著」就是「吃」，生命的奧妙和滋味都要自己去品嘗，不能由旁人指點告訴。我認為，這句話也可成遠藤周作這部隨筆的註腳。

13 為了分擔他們的痛苦

——《沉默》

《沉默》（1966）是由遠藤周作所寫的一部歷史小說，講述德川幕府時期的故事。這部小說後來被馬田史高西斯改編成電影，很容易找得到。講述一位洛迪格斯神父與拍檔加路比神父到日本尋找失蹤的費雷拉神父的故事。

他們千辛萬苦找到方法，在中國船家的幫助下，從澳門偷渡到日本傳教與尋訪費雷拉。但去到日本一村莊友義村之後，發現原來日本有很多信徒轉為地下活動，但因為當時已經沒有真正的神父留在日本，眾信徒只能自行維持各種宗教儀式。等洛迪格斯來到之後，村民急不及待請求神父洗禮及告解，但同一時間，神父對日本的食物、生活方式也顯然非常不習慣。

小說中當時負責禁教的是井上奉行。井上看上去非常溫和，在洛迪格斯被捕之後，也沒有使用酷刑，但卻用酷刑對待他身邊的日本信徒，並說只要洛迪格斯棄教，其他人都會得到赦免。井上與洛迪格斯討論基督宗教，認為日本沒有基督宗教留存的土壤。事實上加路比與洛迪格斯，也同樣感覺到日本信徒對教義的理解和儀式的執行都有偏差。那麼，井上是不是對的呢？

沉默小說所問的問題是，在這片絕望的土地上，在日本德川幕府爪牙隨意行惡的海岸邊，「神為何沉默呢？神在什麼地方呢？」當神父傳教的理想幻滅，落在現實的絕望時，我們應該怎樣面對呢？《沉默》以基督宗教為主題，但絕對不是宣傳品，探索的亦是人類最基礎的信念。

沉默取材的是歷史中費雷拉神父真實的棄教故事。小說後來寫到當已棄教的費雷拉神父出現，要求洛迪格斯棄教時，說到「你要做的是至今沒有人做過的最大的愛德行為，教會的神職人員會裁制你。可是比起教會、傳教，還有更重要的事」。洛迪格斯踐踏了耶穌的畫像，小說寫洛迪格斯感受到痛楚，這時遠藤周作寫到洛迪格斯進入幻想：「銅版的那個人對司祭說；踏下去吧！踏下去吧！你腳上的疼痛我最清楚了。踏下去吧！我是為了要讓你們踐踏，才出生到這世上，為了分擔你們的痛苦才背負十字架的。」這可以說是遠藤周作以小說對費雷拉神父棄教的解答。

這段歷史確實是觸目驚心。日本戰國時期經歷織田信長的西化親基督教敵視佛教；到豐臣秀吉時期宗教上相對折衷，但卻入侵朝鮮與明朝，導致國際形勢急轉直下；最後到德川幕府代表日本東部的傳統農業力量，推行禁止包括中國人民自由活動的鎖國路線，而基督宗教可以說是這種轉變下的輸家。

耶穌會本身就是歐洲宗教改革大浪潮下的產物，新教對羅馬天主教打擊甚大，耶穌會向包含日本、東南亞與拉美等新地區傳教的用意，也是為了早一步先於新教傳播。但碰上日本德川幕府在關原之役的東西決戰下，西軍與九州的力量就被幕府重點肅清，基督宗教自然也被德川視為反抗力量。

14 歷史不能承受的重壓

——《生命中不能承受之輕》

米蘭・昆德拉的長篇小說《生命中不能承受之輕》（1984），我看的是韓少功在 1985 年所翻譯的版本。這書後來有眾多譯本，不少更準確。但看來看去，還是喜歡韓少功的版本。米蘭・昆德拉的小說在九〇年代至二千年代是非常重要的文化現象，在香港文化圈說成是文化「共識」也不過分。預科暑假的我是在公共圖書館借閱這版本的《生命中不能承受之輕》，年輕時的閱讀經驗，就對小說中深刻的哲學思辨，與及外國現代的情愛觀念感到很震撼，也許得益於韓少功的翻譯，這是一本甚有青春氣息的小說。

當時也是第一次看到在小說中有如此大量的哲學討論，驚訝原來小說可以這樣寫。這麼多的思索可以以小說為載體展開，每一章的敘事角度可以完全不同，有時以男主角托馬斯為焦點，下一章則轉成以女主角特麗莎展開，我們剛才有點認同托馬斯，他為了「同情」情人而「犧牲」，「她既非情人，亦非妻子，她是一個被放在樹臘塗覆的草筐裡的孩子，順水漂來他的床榻之岸」。但在新的一章，我們又開始懷疑特麗莎視男方為改變生活環境的渡船。原來在同一部小說中，說故事的人可以同一時間同情角色，又可分析甚至批評角色；當時我當然不知道什麼是「複調」小說。年輕時以為小說就是《三國演義》或是倪匡的科幻小說的我，閱讀米蘭・昆德拉可說是打開了一個完全不同的西方翻譯小說世界。

《生命中不能承受之輕》寫的是 1968 年捷克布拉格之春期間，四位身份各異的男女的故事。在美蘇冷戰格局之下，東歐不少國家都在蘇聯華沙體系的保護下，六〇年代是全球二戰後嬰兒潮進入成長的時代，世界各地都有因青春以來的思想激盪，布拉格之春中，捷克共產黨總書記提出「帶有人性面孔的社會主義」，同時可說是捷克並不完全認同蘇聯路線的反抗行動。但在 1968 年 8 月，俄國的軍隊卻直接開進布拉格，杜布切克被扣押。中國反對蘇聯入侵捷克，毛澤東指蘇聯的行動是「社會帝國主義」，並認為蘇聯有入侵中國的可能，事後中蘇的關係進一步下滑。1968 年的種種風波，可說是中蘇在 1969 年關係全面破裂，並在同年 3 月爆發珍寶島事件的前奏。

但《生命中不能承受之輕》並不正面寫蘇聯入侵，主角托馬斯與特麗莎的選擇，更多來自生命中的其他部分，他們在事件後也逃到瑞士，但特麗莎卻因為不能接受在異鄉的人，只把布拉格的苦難當成一樁新聞事件，之後立即就失去興趣而且遺忘。她覺得自己的攝影才能在這全無用處，拍攝入侵期間的照片：「時過境遷了，她出於激情拍下的這些照片，任何人也不會再要它們了，因為它們不入時。」特麗莎決定隻身回到捷克，而托馬斯也追隨她回去，因為他自認為照顧特麗莎是他生命中唯一「沉重」的事。小說中人物的選擇可以成為一種「觀念」的解釋，例如「永劫回歸」、「非如此不可」、「媚俗」是本書的有趣之處。

歷史與世情

01 電視劇的昇華
——王家衛的《繁花》

《繁花》（2013）是中國當代作家金宇澄的長篇小說作品，經王家衛改編成三十集的長劇。《繁花》真的很好看，值得集體創作成影視作品。王家衛亦是有名的「作者導演」，作品都帶有他強烈的個人風格，我也以王家衛為作者的角度去觀看《繁花》，重點則在觀看他怎樣執導處理一套三十集的長劇本。應該也有不少人知道王家衛是電視台編劇出身，由影視傳奇人物甘國亮帶他入行，處理長短故事當然絕非問題。不過電影作者王家衛擅於用畫面講故事，以留白和時空交錯等方式給觀眾創造想像，更重要是為大約只有兩小時的電影增添幾重時空層次。

那三十集的《繁花》（2023）呢？王家衛這次要說的上海，真是可稱作「大河劇」式的時代交響樂。原著小說中金宇澄著墨更多六〇年代的故事，王家衛則基本上完全留白，交給觀眾自行補充，這是非常精明的方式，事實上內地電視劇有關「十七年時期」的劇種甚為豐富，而平地起飛的上海顯然是更新鮮的題目。

所以《繁花》劇集敘事上集中在較短的時間，以男主角寶總與三位女角為主線，以高速發展的外貿與金融市場為背景，飛揚的上海黃河路為舞台。處處顯出王家衛故事設計的頂尖水平。三十集前半是各種線索互相交纏，後半是花果飄零各地開花，每個角色都有新發展，有如「輪流轉」一般，也是描繪一個時代的好方法。

繁花中的愛情

說到底，王家衛一直在說的，都是愛情故事。劇本故事的底子，頗有《大亨小傳》的氣氛，寶總的故事背景也是一位普通的上海小伙，有幸遇到高人「爺叔」指點，學懂各種營商門路。但大亨不要緊，小傳才重要，寶總故事的核心還是他與幾位紅顏知己的情誼。一男三女的故事，上海觀眾也絕不陌生，張恨水的鴛鴦蝴蝶派小說《啼笑因緣》（1930）就是了。

但愛情故事的內核，還是看二人交往的基礎是什麼，《繁花》則一直強調寶總和汪小姐、玲子、李李的報恩關係。有人說劇集眾人太拘謹，連擁抱也是偶一為之，是限於電檢原因。確實各處鄉村各處例，寶總一直不逾規矩，可是王家衛寫愛情的精彩之處。愛情故事，寫的其實是壓抑，寶總的愛情故事，觀眾用的是全知觀點，三段都看了，那如果三段愛情真的都展開了，那就不是寶總而是韋小寶了。現在寶總報恩的心、不望回報的關顧、不用說破的真情都有始終，這樣的角色肯定受觀眾喜愛。

三段情感中，寶總與李李一段最有男女較量各有盤算如〈傾城之戀〉（1943）的味道；與玲子一段，則是日劇《悠長假期》（1996）共渡人生低谷的姊弟戀組合。汪小姐與寶總一段，敘事來說是《繁花》的主要核心，汪小姐也是寶總不惜每次都犧牲來成全的人。劇集的後半，汪小姐、玲子尋找新路向，也是更能立體描繪現代女性的一筆，畢竟愛情也只是人生之一選項。

繁花的滬港因緣

《繁花》用滬語拍攝，劇中大部分主要演員都是上海人，演員在各訪問中也談到方言演出的獨特效果。中國現當代文學中一直都有大量把方言寫入白話文中的作品，當代文學中的尋根文學如莫言、賈平凹、余華等作家都有代表作。金宇澄寫《繁花》夾有大量滬語，但由於同屬漢語，對其他地域讀者而言，夾雜方言入文從來不是問題，除了偶有字詞需要解釋，並不影響閱讀，反而更有地方特色。王家衛對語言異常敏感，他的作品也經常出現各種地方特色，例如《重慶森林》（1994）王菲就用半鹹淡廣東話說話，《2046》（2004）中木村拓哉則直接用日語演出。《繁花》用滬語拍攝，在中央電視台首播，受高規格禮遇，並在各方評價中得到激賞，足見導演的心意得到大家的肯定。

而且，滬語對香港人來說絕對不陌生，或者說舊時香港，一直是各處方言共處的地方，年長一輩鄉音無改，一聽就知道家鄉何處。廣東話佔絕對強勢，也大約是九〇年代前後的事。五〇年代的香港就有大量的上海移民，當時的「廣東佬」和「上海佬」也不是全無文化碰撞，當時亦有王天林導演、宋淇編劇的《南北和》（1961）作證。上海與香港的雙城關係，《繁花》就寫得精彩。寶總的身份，本身就是「港商」，師父爺叔的人脈，也有不少就是香港富豪，幾次幫助寶總的都是香港人，當中應有影射現實中八〇年代上海發展與香港商人的密切關係。

反而對劇中上海幫步步進逼，打算在股市上「吃掉上海資產」的所謂反派，竟是「野蠻生長」高速發展的深圳財團。而且全劇數之不盡的廣東歌配樂，大量的香港明星客串。《繁花》正寫上海，卻處處有香港，這不是王導對上海和香港的情書，又是什麼呢？

02 「租住空間」的故事

——以朱石麟三部電影為例談起

空間是什麼？怎樣能描述空間？電影又運用「租住空間」說了一些怎樣的故事呢？簡單來說，空間「是一種觀察、認識和理解世界的方式」。一間大房子如果只有一個人住，就算他是富豪，我們也會覺得他活得太孤獨。空間可以表現情感。在大型辦公室的一排排辦公桌上辦公，總覺得自己不知正被誰人注視，坐也可能坐得拘謹。空間可以帶有權力。在繁忙時間站在地鐵車廂中和別人身貼身，就算動一下手腳，也算是一種冒犯。所以，空間是一種理解世界的方式。活在板間房，我們對世界的理解方式也會不一樣。空間也沒有一定的大小，地球也可以視作一個充滿意義的空間，喚起火箭上太空人的鄉愁。家中的老人家，都不太喜歡搬動家具的位置，因為每一張椅子都滿載老人的回憶。有別於討論「景觀」及「區位」，我們在討論空間，討論的是人與地的關係，關注不同空間如何賦予人不同的意義，和人在不同地方中的生活經驗。

五〇年代香港人口在二戰後急升數倍，1953 年已達 240 萬人，當中有不少是難民。香港人在當時怎樣「找地方住」？把大單位分租自是折衷辦法，「梗房」、「板間房」與「床位」等便成當時港人的主要居住方式，「找地方住」就是

「租地方住」。從「流離失所」到「有瓦遮頭」，「租住空間」的故事，在五〇、六〇年代的香港是怎樣的？

有關租住空間的故事，導演朱石麟是其中一位不斷探索的重要人物，他在五〇年代拍了三部深入探索租住空間的電影——《一板之隔》(1952)、《水火之間》(1955) 與《喬遷之喜》(1954)，三部電影說的都是有關租住的故事，但導演並不重複自己，在怎樣說、怎樣敘事上花了不少功夫，它們的敘述結構都很不一樣。我們或可通過討論朱石麟的三部租住空間電影，對其敘述方式作一討論。

「一板之隔」模式

《一板之隔》屬龍馬影業公司出品，龍馬是費穆於 1950 年在香港創辦的電影公司，主要拍攝國語片。朱石麟在 1946 年南來香港拍出了《同病不相憐》(1946)、《第三代》(1947)、《清宮秘史》(1948) 及《生與死》(1953) 等電影。1950 年朱石麟獲多年好友費穆邀請加入龍馬，《一板之隔》是朱石麟替龍馬導演的其中一部作品。《一板之隔》副題為「同居樂之一」，開宗明義是探討與同居苦樂相關的主題，一間公寓住了兩位房客——洋行打字員陳有慶（韓非飾）與私校教師陳強（李清飾），兩人分住一間大房的兩邊，中間隔了一塊房板。兩人都不是霸道的人，但各自那小小的生活樂趣皆為對方平添煩惱，陳有慶常在晚間聽收音機，最愛戴著睡帽躺在床上聽古典音樂，卻正吵著另一邊正在批改習作簿的陳強。陳強最喜歡養貓，平常就喜歡靜靜對貓說話，但貓卻喜歡四處走，常穿過房板底弄髒陳有慶的床鋪。養貓與聽古典音樂幾乎是各人唯一的享樂，在導演的設計下板間房成為製造衝突的場所，貓與音樂聲皆可穿房板而過，二人都因對方的享樂而受苦。二人明爭暗戰，漸漸不理性，陳強請陳有慶關掉收音機，陳有慶反而扭大音量，也不再有心情聽音樂，二人就是這樣愈罵愈僵。

後來陳強介紹華小姐（江樺飾）搬進公寓，陳有慶喜歡華小姐，陳強也佩服華小姐為人。及後華小姐在電影中擔當左翼啟蒙者，解決了陳強的失業問題，又點化二陳應加強溝通，彼此了解；最後二人拆掉房板，共同面對香港現實，華小姐則回內地建設新中國。

《一板之隔》究竟是個怎樣的故事呢？故事有兩位立場對立的主角，二人因各種各樣的事爭吵，薄薄的板房破壞了各人完整的私人空間，而愈爭愈烈。華小姐是充當敘事中調解者的角色，化解二人衝突。這種把敘述焦點放在對立的二人的敘述結構正與電懋由王天林執導的《南北和》有可供對照討論之處。

電影《南北和》巧妙融合國粵語片的演員，在電影中通過「一板之隔」的模式，表現廣東人與上海人南北語言文化上之衝突。電懋電影較多呈現都市小康一面，兩位亦是家境不俗的西裝店的老闆，但在五〇、六〇年代亦只住在「梗房」當中，導演運用租住空間，把二人的衝突由生意帶到公寓中。電影亦有借用收音機引發衝突，一幕二人在公寓爭聽收音機爭得面紅耳赤，繼而在廳中荒腔走板鬥唱鬥大聲，把衝突推上高潮。

《一板之隔》由華小姐調解二人矛盾，而南北融合則來自下一代的力量。二人的女兒正正戀上不同省籍的男朋友，兩對「南北配」努力說服父親們放下南北的爭議，最終解決危機，皆大歡喜。

我們可以看到「一板之隔」式的敘事模式把情節集中在一對「怨家」身上，「租住空間」則使矛盾凸顯，衝突愈演愈烈，直至調和者出現。調和者可以是《一板之隔》的左翼啟蒙者，可以是《南北和》中年青開通的一代，但同樣視「彼此了解」、「加強溝通」為解決社會衝突的方法。上述兩部電影製作團隊在源流與政治取態上可說左右分明，但在此處亦運用了類同的敘述結構，各自表述了不同觀點不同面向的社會矛盾。最後《一板之隔》以拆掉房板，二人快樂同居為結局，自是導演在五〇年代難民社會中推崇互愛、重塑倫理關係的一種號召；而《南北和》最後南北人打通店舖合作開設洋服店，亦旨在表現香港南北調和的可行性。及後張愛玲編劇的《南北一家親》（1962）同樣運用此一模式，亦是一部出色電影。

「水火之間」模式

《水火之間》同屬龍馬影業公司出品，是繼《一板之隔》後的「同居樂之二」。電影描繪八伙人同住在一層板間舊樓內，日常既爭爐燒飯，又為爭水所苦，生活壓力甚大。加上每家每戶憂柴憂米又各有難處，整部電影眾人不斷因日常小摩擦而大吵大鬧，例如因房板底部兩邊相通，電影中舞女與經紀妻子因誤掃垃圾到對方房中而生口角，其他如爭爐頭、爭水、爭廁所、爭豉油、爭晾衣服的位置、爭門鐘為誰而響、爭電費誰人多付與爭雞蛋為誰所偷等等。電影屬戲劇改編，故事矛盾衝突亦安置在一天之內不斷發生，不過電影在一個非常狹小的實景內拍攝，加上細緻的情節處理，亦很有真實感。電影中有大量的衝突但卻沒有調解者與救世者，李清飾演的教師孫先生帶點犬儒，有事還靠韋偉飾演的孫太太出頭。代表工人力量（曹炎飾）的阿良雖然不斷付出，不斷幫助別人，但根本無助於解決矛盾。有一幕童星黎小田飾演的孫小波不見了一隻雞蛋，及後其母懷疑是小玲偷的，最後住在床位的小玲被其母痛打，眾人也覺得小玲可憐，但還是沒有醒覺互助的重要，馬上又為其他事情爭吵。眾人在板間房嚴重缺乏空間的情形下變得非常計較，人亦變得冷酷無情，電影中工人的努力、知識分子道德說教亦無力回天，是板房電影中少見使人動容的絕望一幕。電影最後安排一場火災，使眾人在危難下同心協力，電影改編自新加坡舞台劇《風雨牛車水》（1948），在拍攝前亦曾在香港以獨幕劇形式上演，「為救濟香港火災難胞舉行義演，前後四場演出中，博得數千愛好劇藝僑胞的喝彩」，可見結局有實踐社會關懷的考慮。

「水火之間」模式，傾向展現一種社會眾生相，把不同價值觀，由不同原因來港的人並置在租住空間，同住的人往往原屬不同社會階級，但因逃難而住在一起，在狹窄的環境下起衝突。這種敘事模式自然使人聯想起中聯電影企業有限公司出品，由李鐵執導的《危樓春曉》（1953）。中聯影業公司與龍馬及鳳凰皆由一群志同道合者聯合創立，中聯可說是粵語電影中重視寫實，帶有教化色彩的左翼文藝代表。《危樓春曉》中同樣有教書先生（張瑛飾），亦有代表工人階級的的士司機（吳楚帆飾），也有努力過日子的舞女，也有代表舊日資產階級的負面人物。兩個故事同樣以風凶火險，推動眾人互助共濟作結。

但在這種狹窄的租住空間中，兩部電影中處境相似，環境相同的人物面對板房卻幾乎有截然不同的態度。這或可從人對個人空間的根本需要來解釋，《水火之間》與《危樓春曉》中眾人的日常生活毫無私隱可言，《水火之間》一幕教書先生的掛畫掉在地上，打算再掛起時卻被飾演舞女的馮琳誤會為偷竊。《危樓春曉》的吳楚帆因故遭的士公司撤職，回家與臥床休息的妻子談到失業，在薄薄木板另一邊的張瑛與紫羅蓮立即聽到枕邊話，即到吳楚帆的房間慰問。板房空間缺乏私人空間是事實，但兩者的呈現取態則南轅北轍：前者引發的是一幕接一幕的謾罵誤會，以致舞女被眾人取笑；後者以個人失業的困境因眾人商量而得到緩解，表示板房空間反而是增進溝通的好地方。同樣面對物質環境的缺乏，《危樓春曉》中的同居者樂於互相分享，你煮咖啡，我買魚蛋粉，一邊唱歌一邊面對困難，租住空間呈現得和平安樂；《水火之間》爭端不斷，每人都在租住空間爭奪僅有的資源，租住空間成適者生存，叢林一般的所在。

我們隱隱然感到朱石麟以《水火之間》中的不圓滿來回應《危樓春曉》中那較樂觀的解決社會問題的方法。同屬廣義上的左翼文藝，朱石麟同樣認同「人人為我，我為人人」是解決社會問題的重點，但卻沒有天真認為「我為人人」與「人人為我」有必然的因果關係，反以悲涼而不失審慎的態度處理五〇年代的香港現實。「水火之間」模式在不同的年代還有繼承者，簡單來說可分兩大類，一如《危樓春曉》般表現租客較為同心面對社會的壓力的有張之亮導演的《籠民》（1992），另一線索為《水火之間》般呈現租客間的不信任與疏離如劉國昌導演的電視電影《蒼生》（1983），參考上述兩部八〇、九〇年代的房客電影或可充實上文的討論。

「喬遷之喜」模式

《喬遷之喜》同屬龍馬影業公司出品，電影講述一位建築工程師的助手小孟（胡小峰飾），本想在結婚時建立一個理想的居住空間，但在結婚後卻因生活的各種壓力而不斷搬家，由「梗房」一步步搬到「床位」居住。故事集中討論一對情人，如何因生活的一波三折，隨著時間的推移如漩渦一般往下愈住愈差。最初小孟打算給新婚一個理想的家，不無幻想地希望可以有一廳一房，可以每天浪漫地共享晚餐，餐後聽收音機欣賞音樂，導演顯然在表現二人對「小資產階級」品味的追求，但在難民社會一些合理的追求亦變得不合時宜。電影初一幕小孟準備結婚，邊梳洗邊唱歌表明心跡，希望將來的衣食雜務可有妻子照顧，又說要有一個獨立浴室以及私人空間，可以「不看別人怪模樣」，電影的整體結構可由這一幕說出，因他的歌聲最後吵醒隔壁的房客，最後歌聲與希望同被打斷，似乎已預示了他奮鬥的下場。

電影反映小市民的晦暗，但整體用喜劇手法呈現，帶動觀眾情緒上做得出色。像小孟與李佩華（陳娟娟飾）為了節省房租於是改建板房加建「閣仔」當新房，又在房板上加設一布簾，創造板間房中的私人空間。向高空發展本是妙計，但是在婚宴後二人回到房間上層浪漫之時，隔壁夜歸的房客向上一望，布簾後二人的剪影登時有如皮影戲！及後隔壁房客把布簾一拉，發現了二人違法加建，新婚夫婦便只好搬家，展開一幕幕笑中有淚的喬遷故事。

電影設定小孟是建築工設師的助手自有反諷意味，其實內裡還有文章。和《喬遷之喜》一樣，五〇年代諸葛郎的短篇小說〈木屋夜話〉（1951）同樣書寫建築師的宿命。一班住客「都是有職業的人，並都不是靠勞動力生活，而都是知識分子」，坐在木屋中發牢騷。建築師說他辛苦為一個有錢人的七姨太設計別墅，正屋洋台都畫好，但小花園則劃不出地。最後建築師辛苦說服業主再劃五十尺，終成一件設計傑作。眾人正慨嘆建築師「賣花姑娘插竹葉」時，建築師卻說這也無關係，苦笑一下說別墅加劃的五十尺正是他們共住的木屋！眾人結局又再無家可回。故事指出難民社會中就算知識分子和一般市民同樣面對困境，愈努力卻愈糟糕，這亦正和《喬遷之喜》主旨相呼應。小說作者筆名諸葛郎，就是五〇年代重要導演易文（楊彥岐）。

在《喬遷之喜》的漩渦敘事結構下，兩人雖然不斷努力生活，但現實逼人。最初被逼遷，後來李佩華有了兒子，梗房房東不租給有小朋友的租客。兼逢市道不景，李佩華更失業，收入少了，只好搬到板間房中。兩人不斷減少個人開支，連報紙也不再看，更徒步上下班。一幕小孟決定連最後的享樂也戒絕，不再買煙，更把煙包扔掉，當時我正在香港電影資料館辦的朱石麟電影全面回顧展的放映院內，在場觀眾見到這幕不斷拍手歡呼，眾觀者為小孟健康著想的立意良善，但面帶笑容的小孟在此刻其實已是赤貧，朱石麟用戒煙表現貧窮的含蓄處理使人動容。

相對於《喬遷之喜》生活的漩渦，光藝製片公司的名作——秦劍導演的《難兄難弟》（1960）同樣用都市喜劇的方式表現生活各種困難。光藝電影比較站在年青一代的角度說故事，帶有較強烈的現代氣息。《難兄難弟》同樣集中敘述兩人如何共同努力面對社會，但當一步步熟悉香港社會的遊戲規則後，在各方面卻漸漸成功，電影基本是一個向上的漩渦，二人一步步「發跡變泰」，在事業愛情都愈來愈得意。《喬遷之喜》和《難兄難弟》的主角同樣積極努力生活，惟效果卻剛剛相反，《難兄難弟》肯定一種「努力向上」的積極精神，在五〇、六〇年代的香港可說有實際意義。《喬遷之喜》並不認為小孟二人的艱難是個人的問題，也並非片面把這歸為個別階級的罪行。李佩華的老闆因李佩華懷孕而要她放長假固然不對，但實情是她老闆的店也面臨倒閉。使人們愈努力愈貧窮的兇手根本找不出來，在今天的香港似乎同樣如此。小孟只是普通年輕人，結婚、生孩子，找尋居所，經歷到你我皆然的柴米油鹽家常事，正因如此，於今日香港重讀此片，更覺觸目驚心。

此文點出三種說租住空間故事的方法，但租住故事的敘述模式自然可有其他可能性。朱石麟是一位出色的說故事的人，創造了三部結構不同，同樣出色的租住空間電影，是帶有深厚人文關懷的電影藝術。借用《南北和》、《危樓春曉》和《難兄難弟》作對照來說明敘述模式，希望帶出左與右、流行與嚴肅、甚至不同傾向的左翼中間的豐富與多義。

03 林太乙的長篇小說《金盤街》中的租住空間

本文所論的「租住空間」有具體時空所指，與一般理解下的租賃樓宇概念有所不同。五〇、六〇年代香港屬難民社會，當時居民多半並非在香港出生，加上人口突增，由二戰時的 60 萬人增至五〇年代中的 250 萬人，住屋問題嚴重。當時樓房不足，很多業主會用木板把一個大單位分隔成較小的空間出租，這種間隔的房間，木板至天花的空間相連用作通風，木板與地板也有間隙，所以房與房並非完全封閉獨立，故稱為「板間房」。另外一些環境較好、有獨立單位的家庭，也會把家中的空房間出租，這種相對較好的房間則稱為「梗房」。不過更多貧困的難民，則連板間房也租不起，只會在板間房之間的通道放上一張床，稱作租「床位」。在五〇、六〇年代，有時一張床位便會是一個家庭同睡的地方，「一家八口一張床」在當時並不是十分離奇的事。

另外，本文討論的長篇小說《金盤街》（1979），正是寫出當時這種分租空間現實的小說。《金盤街》的活動場景主要環繞長沙灣一帶，和荔枝角同屬深水埗區。現實中租住的方式當然五花八門，但可以肯定居住環境未如理想。這種租住方式使不同背景、不同文化的人同處於一個地方。本文的「租住空間」概念指上述五〇、六〇年代的特殊居住情形。

七〇年代不少學者對人與空間的使用經驗、感受與想法作有系統的探討，其中段義孚的《經驗透視中的空間與地方》（1977）是這方面的重要著作。段義孚三〇年代於天津出生，於抗戰期間移居澳洲，是位美籍華人。他認為：

> 地方可以像房間裡的角落一樣微小，或者和地球一樣龐大：地球是我們在宇宙中的地方，這對思鄉的太空人而言，是個簡單的觀察現實⋯⋯多數的地方定義顯然都很武斷。地理學家傾向於認為地方像個聚落般大小：裡頭的廣場或許也算是個地方，但個別房屋通常不算是地方，壁爐旁邊的老舊搖椅肯定也不是。

段義孚的一段話說明「地方」與其體積面積並無關係，地方等同聚落亦是一武斷的觀點，所以碼頭、醫院、學校、酒店，可以是「地方」，可以是「空間」，端看其中人與土地的情感依附與連繫。在進一步說，段義孚認為同一個空間因為不同經驗的差異而產生不同的意義，同一個「地方」，從經驗出發對每一個人都不同。

段義孚自言他的研究特點是：「人本主義地理學的一個特點，那就是對語言資源的內涵的提煉。」所以不同於一般有關地理的著作，他大量徵引文學作品進行「地方」的討論，考察不同的作品如何理解、書寫同類的空間，怎樣賦予不同意義。段氏在這層面上對空間的興趣，正可作以下討論小說《金盤街》中的「租住空間」時的參照。

「租住空間」的叢林法則：林太乙的《金盤街》

林太乙以編輯的身份為眾人所熟知，是美國暢銷雜誌《讀者文摘》中文版創刊編輯，亦是《林語堂傳》（1989）及《林家次女》（1996）兩部傳記的作者。較鮮為人知的是，她亦是個出色的小說家，其中《金盤街》就是她重要的小說成就。小說最初在 1964 年於美國出版，1979 年由作者自譯，改寫結局部分，由台灣純文學出版社出版。林太乙於 1962 年遷居香港，早年曾隨父到處遊歷，她有居住在北京、紐約、歐洲等不同地方的經驗，這些經驗使她對香港有獨特的觀察角度。正因林太乙是位跨地域的作家，小說《金盤街》的出版發行過程又帶點曲折，不少人在討論香港文學時往往會忽略了這部長篇小說。

討論《金盤街》可由「金盤」開始。初看「金盤」二字，很容易使人聯想到漂亮的家居用品；從小說中我們知道故事寫的是九龍區長沙灣的一條街道，查證後長沙灣並無此街，只有營盤街，故一直思疑「金盤街」是「營盤街」的化名，營盤街英文名 Camp Street 和小說英文名 Kampoon Street 接近，Camp 和 Kamp 二字相近，加上兩街都有盤字，便以為上說是正確無礙的講法。後來再加查證，才發現原來營盤街與保安道相連，保安道就是 Po on Road。原來《金盤街》並非化名，是 Camp Street 與 Po on Road 合寫而來，考證至此，才發現林太乙並非打算單寫香港的一條街道，而是有意識地運用書名點出故事發生的真實位置，小說對地方書寫及地方準確程度的重視，在五〇、六〇年代小說中並不常見。

《金盤街》故事並不複雜，主要講述寶倫與姐姐莉莉、母親儀玲三人在金盤街生活求存，希望離開此一地方的故事。

在人文地理學者段義孚的《恐懼的景觀》（1979）中，他討論到人對居住在城市時的恐懼經驗——「城市中的恐懼」，如城市的噪音、混亂無序、房屋倒塌與火災等，他在討論城市的混亂狀態時，點出「城市中的叢林法則」：

> 人們常常把都市比喻為「叢林」。這比喻可能意謂城市的建築和街道就像叢林一樣錯綜複雜，也可能是意謂城市住滿三教九流，就像叢林中的野獸一樣凶險。其實，這兩個意義很少可以完全分開。

上述的引文幾乎是在說明《金盤街》的開始場景：

> 巴士漸漸離開九龍鬧區，把他從繁華世界帶走。從房屋伸出晾著衣服的竹竿愈來愈多，先是三根五根，後來是塞滿窗戶騎樓。偶爾，他看見一個像蘋果的小圓臉，從竹竿後面探望。他感到自己在進入森林。
>
> 寶倫在長沙灣道下車，拐進狹窄的金盤街，頭上的竹竿像交叉的樹枝一般佈滿上空。嘈雜的聲音從上面傳下，像許多鳥在吱吱叫。他辨認出縫衣機克達克達的響聲，電動鑿孔器嘶嘶作聲，還有噼噼啪啪的打

麻雀的聲音。他俯視路上，有人躺在地上睡覺，有人坐在小凳上用煤爐燒飯。做燈罩的癩子在店舖前擺鐵絲，木匠在掃地，也隱隱約約辨認出賣炭的老頭子在他店子裡吸煙。寶倫的叔叔蹲在金盤街三十一號門口吃飯，面前擺著兩樣小菜，他像個麻雀一般，用筷子從地上撿啄起來吃。

林太乙筆下金盤街就像叢林一般。生活在荒野叢林，不保護自己，不爭取就無法過活。從小說一開始，「租住空間」就以殘破、充滿混亂破敗的印象呈現。金盤街三十一號不單單從外觀上帶給人生活的壓迫感，在人與人的關係上同樣相當緊張，這點可從取水一幕中看到。小說多次描述對缺水的壓力，水在香港一直是短缺的天然資源，制水在當時香港社會是常見的現象，其時正處於制水時期。母親儀玲在丈夫死後，只好靠賣自家釀製的客家補酒維持一家。釀酒需要大量的水，全層水喉只有一條，自然容易和鄰居起衝突。對這種情況的描繪在當時的文學作品與電影都有不少，《金盤街》的寫法和一般同類型的書寫有所不同。為釀酒儀玲買了一個特大水桶：

第二天，儀玲掛念取水的問題，很早就起床，把水桶抹乾淨……已經有許多人在排隊等水，有個男子說，「大家讓她先接水吧」。儀玲猜想，他們也是因為好奇所以讓她先接水。她把水管套在水龍頭上，擰開，一語不發地等著，過了幾分鐘，聽見莉莉大聲叫，「水桶滿了！」她便拉掉水管，一面把它繞起來一面走回去，「謝謝，謝謝大家，」她向鄰居說。

「接了十分鐘水，」有個女人說，「要是大家都接十分鐘水，有的人要輪不到水用」。

「我要遲到了，」另一人說。

「我不是天天要這麼多水，」儀玲說，「今天是因為我要釀酒才要這麼許多，不釀酒的日子，我跟大家一樣拎兩小桶」。

「好了好了，別跟她為難了，」另有人說。「她丟了男人。」

儀玲不再出聲，回到自己的房間，泡開水。……

我們看到林太乙並沒有對排隊取水這一情節作情感上的簡化甚或以煽情方式處理。當儀玲看見眾人讓她先接水，她感激的說「謝謝，謝謝大家」時，往往就是眾人表演關懷共濟之情時，但原來眾人讓她先接水並非因互助互愛共渡難關，只是因為她「丟了男人」。讓水的也不是笑容滿面，而是充滿抱怨，表現一種下不為例的態度。不過，這幾乎已經是「金盤街」中最具互助互愛之情的一幕了。

在金盤街的生活就如活在叢林般充滿緊張感，大家話不多，碰面也無言，好像在生活壓力下已容不下對身旁的人有憐憫之情。在上面的引文中我們更可以看到在儀玲一家和其他人每天見面，但他們在小說卻只是作為「有個男子」、

「鄰居」、「一人」與「另有人」等無名大眾而存在，眾人的「無名」更使人覺得儀玲等人孤立無助，林太乙的描寫展現出立體感。正如段義孚在討論早期美國唐人街時所說的一樣，他也反對一種簡化的二元對立觀點，說「如果說把唐人街描繪為罪惡淵藪是一種扭曲，那把他描繪得和樂寧靜同樣是一種扭曲」，林太乙在這點上維持了小說的寫實。也寫活了五〇、六〇年代的租住空間中因資源缺乏而來的緊張感。

回到城市的叢林法則，儀玲等人在「租住空間」生活，其地方經驗告訴她們要改善生活的唯一方法就是離開金盤街，小說亦運用不同的空間與金盤街作對比。林太乙借寶倫的眼，讓我們看到香港不同的空間。如小說一開始繁華的彌敦道戲院、寶倫就讀的整齊的九龍塘官立學校、太子道的高級住宅區、闊太董太居住的淺水灣別墅；在上述的地方，儀玲努力販賣她最後的財產——客家甜酒，在太子道她給人當成瘟疫病患：「儀玲一家家試過去，按了門鈴……有一兩次，門開了一縫再關起來，好像他們帶來了瘟疫，人人都要避開」，在街賣時遇到警察差點被捕，在漂亮得使儀玲大叫：「我沒來過這邊！這不是香港！」的淺水灣別墅被看門狗咬傷。林太乙對不同地方均以真實名稱書寫，有時甚至寫下門牌，似乎希望明確指出香港有很多很多漂亮高級的地方，但儀玲在這些地方行進時則好比在森林歷險，滿身傷痕。

接著莉莉邂逅董太次子董浩生，浩生包養莉莉三人到紅磡的新單位居住。莉莉有孕，浩生打算「打胎」，莉莉則希望嫁入豪門，儀玲更把事情告訴董太希望藉此逼迫浩生。結果浩生離開莉莉、收回公寓，眾人回到金盤街。莉莉的嬰兒驚險難產卻最後成功出生。林太乙在自譯中文版時改成了大致美滿的結局，原著結局則以莉莉當妓女作結。故事後半部分回歸較為典型的情節劇類型敘事，但對「租住空間」的細部描寫同樣細緻，用紅磡的新居對比金盤街亦見效果，但小說的前半部最有特色。

整個金盤街「租住空間」如段義孚對城市中的恐懼的探討一樣，書中的「租住空間」屬於無法安居的所在。另外《金盤街》呈現了香港各種各樣的居住空間，各種空間各有特色，但從小說中各角色的經驗可知；《金盤街》的人處於「無處可逃，不得其所」的狀態，這是一種較帶批評角度的香港書寫，沒有對「殖民地」現實粉飾太平。從另一角度，面對當時板房的社會現實，就算是比較「右翼」的作家，面對社會現實亦無法迴避。從小說中亦能看出林太乙作了不少資料收集整理的功夫，描寫各區也有實感。林太乙用了一個與「租住空間」比較有距離的角度，寫出「租住空間」的陰暗面。相對於前述的創作者，林太乙描寫時可能會與她曾到居住過的歐美地方作參照，她來港兩年後即寫成此小說，在居港十多年後重寫一個較樂觀的結局，或是她內心對香港認同感之改變的反映。

結語

五〇、六〇年代所處的特殊時空產生了像金盤街這種類型的「租住空間」。「租住空間」成為一個既可以代表該時代的苦困，又同時成為不同文本共同書寫的課題，可說是一整代人共同擁有的「地方」記憶。不單是小說，同時代的各種文類如電影中有朱石麟的《一板之隔》、《水火之間》與《喬遷之喜》，中聯的《危樓春曉》，電懋的《南北和》，散文家曹聚仁的「欣廬」系列散文，甚至劉以鬯的小說《酒徒》都有對「租住空間」的探索討論。創作者寫作「租住空間」形式技巧各異，但目的都在坦率地表現他們對「租住空間」的觀感經驗，及寫出對那個時代的看法。探索「租住空間」的目的在於了解人與地方的種種經驗和感受，而經驗、感覺根本不可能是客觀的，它是一支支射燈，不斷照清遠去的歷史碎片；如果真的可以的話，成為另一種了解那個獨特時代的方法。

04 亞歷山大神性與殘忍

——讀《亞歷山大的征服與神話》

日本學者森谷公俊《亞歷山大的征服與神話：非希臘中心視角的東西方世界》（2018）是「興亡的世界史」叢書的第二卷，這是一套不可多得的優秀歷史叢書。世界史觀或環球史觀，並不以某一國家或人種為中心，重視人類整體的歷史演變。氣候、疾病、物種交換的歷史，經常是世界史觀重視的課題。

亞歷山大大帝，是少數連一般大眾也會認識的世界歷史人物。一位世界征服者，未嘗一敗的無敵將軍，他用短短十年便達成了難以置信的豐功偉業，也成為後代眾多英雄人物與帝王的偶像。亞歷山大已經成為一個傳說，但正因如此，臉譜化的了解，經常便會忽略了歷史人物的真實一面。森谷公俊就舉例我們原來連對大帝真實樣貌的記錄都沒有。現存的畫、雕像，最接近的也是他死後數十年才完成的，這時候他已經被後世視為神了。異色的眼眸也是他的標記：「雙眸顏色各異，右眼為黑，左眼則是灰中帶藍。」而在畫像中經常看到他穿著馬其頓的盔甲，但森谷公俊卻提出一個很重要的觀點，就是大帝在征服波斯後，原來已經改為穿著波斯服裝。這就和我們在流行文化想像中代表希臘歐洲征服波斯亞洲的形象有所不同了。我們所以為代表先進歐洲文明的王者，原來是以亞洲之王為自居。

森谷公俊在《亞歷山大的征服與神話》中當然也有論述到當時地中海東部的基本形勢，波斯在公元前四世紀從文化到科學實力明顯遠遠領先於希臘，反而希臘不少城邦成為了波斯的僱傭兵。和不少流行文化中對近東波斯的想像，明顯帶有異國野蠻色彩剛剛相反。正因如此，我們把亞歷山大征服想像成先進文化進擊落後文明，其實是受近世論述影響的誤解。

所以亞歷山大的征服，其實展示了一個東西方世界進一步交流溝通的過程。亞歷山大以更強的軍事力量，征服了埃及和波斯，但埃及文化和波斯文化並沒有衰落。亞歷山大嘗試以東方路線管治新佔領的土地，與當地的貴族合作，穿波斯的服裝，成為埃及的神；以黃金珠寶打造華麗的宮廷；甚至要求眾人行波斯的屈膝跪拜禮，這在希臘文化上，是奴隸的行為。這些行事在眾人，尤其是亞歷山大父親腓力二世留下的眾將軍眼中，與他們心中的馬其頓之王愈來愈遠。軍團內部的矛盾漸大，再加上亞歷山大的征服沒有停步，穿越波斯後繼續征服到今日伊朗與河中地區，然後南下阿富汗，直到今日巴基斯坦與印度五河地區，士兵到了極限，拒絕前進才停止。所以在讚嘆英雄的同時，這位戰神，在超越平凡的過程中，其實是以殺戮敵人與勞役子民為代價。

05 草原就是我們的星辰大海

——讀《草原王權的誕生》

《草原王權的誕生：斯基泰與匈奴，早期遊牧國家的文明》(2019)是日本歷史學者林俊雄的著作，亦是「興亡的世界史」叢書之一，講述早期歐亞草原上的早期文明。草原文明置於世界史觀來閱讀是很有意思的，因為用一種超越國族的視角，會更容易了解草原的歷史。

數年前我曾經到內蒙古考察，和當地大學的教授談到蒙古文化的種種，很能感受到他們對草原文明的自信。在研討會中，有教授認為香港是海洋文明，並且提出草原文明和海洋文明非常相似；草原就是他們的星辰大海。草原之於遊牧民族，就像是高速公路一般，綠洲城市則好似海港，四方各處的人都有機會到來，貿易非常興旺。在早期舊世界，物質與文化交換推動世界發展，中央歐亞草原扮演重要角色。

但這就衍生了一個重要問題，究竟這些草原民族，是一些散居的部落，還是很早已經有國家的形態呢？在一般的論述，草原文明並沒有文字記錄留下來，他們也不興建城市，所以很難有全面的了解，但其實還是有不少歷史證據留下。本書作者林　俊雄有考古背景，在俄羅斯、蒙古、吉爾吉斯等地方考掘古墓，在一些叫作「赫列克蘇爾」的古墓，找到相當數量的擺放完整的馬遺骨，可以證明這裡曾經舉行過有幾百人參加的葬儀，這顯然是一次大型的儀式。林俊雄認為這可以證明在公元前七世紀以前，歐亞草原就已經有國家權力系統的雛形在其中，就此說明了草原的發展可能比想像中更為文明。

林俊雄在書中提到不少有關斯基泰與匈奴的文化特色，並且嘗試指出兩個文明之間的相近之處，其中一個關注點就是斯基泰文化是起源於草原西方還是東方的呢？在西伯利亞正中央，有一條筆直的、由南往北流的大河，叫葉尼塞河，其源流地區有一個名為圖瓦的國家，這地古稱謙州，清朝叫唐努烏梁海，面積約 17 萬平方公里，大小和廣東省差不多，是中國領土的一部分，後來在晚清時期起逐漸被俄國殖民並實際控制。

林俊雄在唐努烏梁海考掘的古墓，找出了一些斯基泰文化獨有的動物圖案裝飾品，經過碳 14 測定後發現是公元前九世紀的物件。林俊雄認為斯基泰的動物圖案，較早出現在東部，所以斯基泰文化很有可能在東方草原上誕生。他進一步指出草原遊牧民集團出現由東向西的遷移浪潮，好像斯基泰及後來的匈人，從東方而來的遊牧民集團驅趕其他集團再往西遷移，或吞噬其他集團的兩種情況。

那麼匈奴的情況又如何呢？林俊雄在書中提到在河北省、陝西省、內蒙古的出土文物中，都能找到斯基泰文化的動物圖案，這些都可以看到草原文化的廣泛在斯基泰人西遷之後，同樣在東方草原誕生的匈奴也分享著共通的草原文化，也可見到中國北方地區與歐亞草原的中部和西部關係密切。

06 公義與融合的力量

——讀《伊斯蘭帝國的吉哈德》

《伊斯蘭帝國的吉哈德：一部奮鬥、正義與融合的伊斯蘭發展史》（2019）是日本學者小杉泰講述有關伊斯蘭早期歷史著作，同為「興亡的世界史」叢書的其中一本。書名中的吉哈德就是聖戰的意思，在 2001 年的美國 911 事件中，不少報導指當時的恐怖分子會在飛機作自殺式襲擊時高叫吉哈德，此後長期各方的新聞報導也幾乎把聖戰與恐怖主義劃上等號。這個誤解，可能到今天還在主流媒體持續下去。這也許是本書作者小杉泰以吉哈德為題的原因。

小杉泰解釋吉哈德可以有三種意思：分別是與內心的惡交戰的「內在的吉哈德」，致力於在社會上行善，並維持公正的「社會上的吉哈德」，還有「持劍的吉哈德」。我們聽到了吉哈德，往往會想到的是最後的「持劍的吉哈德」，但是早期的伊斯蘭教，真正努力的是在內心與社會上的奮戰，並不只是拿著劍的戰鬥。因為在伊斯蘭教早期，穆罕默德遭受各種的懷疑、歧視甚至攻擊，在麥加的傳教其實並不順利。此外當時阿拉伯半島漢志地區，除了商路貿易比較發達以外，社會結構上有好多問題，部落間互相攻擊搶劫、人們各自為政，社會上的弱勢人物得不到照顧，欠缺社會長遠發展的基礎。阿拉伯力量飛躍而成中世紀一大力量，也是伊斯蘭化之後的事。

小杉泰認為伊斯蘭帝國之所以成功，是穆罕默德怎樣將伊斯蘭教義與阿拉伯世界的社會文化結合改革的結果。伊斯蘭的政教合一其實並不新鮮，例如猶太教、基督宗教、波斯阿契美尼德王朝以至埃及，宗教與管治結合不是新鮮事。但早期伊斯蘭誕生所具有的公平、普及色彩還是值得稱道。

稱作「烏瑪」的穆斯林共同體，例如宣禮，每天定時朝拜，小杉泰認為帶有聚合群眾增強團結的效果，而且也附帶有集市的效果。又例如齋戒月日間不吃喝，即有整個民族同甘共苦的意味，在貧富懸殊、堅尼係數上升的今天，更能體會當中的好意。又例如「天課」指定要把財產與食物直接捐給窮人，也帶有社會福利的意味。最為今天誤解的「一夫四妻」制度，清楚訂明「如果你們恐怕不能公平對待孤兒，那末，你們可以擇娶你們愛悅的女人，各娶兩妻、三妻、四妻」。意思是可以多妻是因為要照顧孤兒，沙漠環境無情，商旅有去無歸是常事。加上戰爭死傷多，孤兒與寡婦問題嚴重，與現代社會大不相同。其實穆罕默德自己便是孤兒，其妻子哈蒂嘉本身也是寡婦。而且男方必須公平對待所有妻子，不能偏心。今天在其他文化眼中的奇怪事，從歷史去看自有其理由。

07 若無其事就是一種成就
——讀《鄂圖曼帝國五百年的和平》

《鄂圖曼帝國五百年的和平：跳脫土耳其視角的非伊斯蘭帝國》是東京外國語大學校長林佳世子的著作，也是「興亡的世界史」叢書的其中一本，從制度史角度講述鄂圖曼帝國的歷史。此書的角度非常有趣，一般我們所了解的鄂圖曼帝國，就是一個積貧積弱的老舊王朝，在西歐船堅炮利之下成為列強瓜分的殖民地。但此書作者提出一個很好的視角，就是鄂圖曼帝國維持了 500 年，而且大致保持穩定和平，那就代表鄂圖曼的體制有他的優秀和合理之處，而且此一體制肯定有隨近世的各種變化而更新。

事實上鄂圖曼帝國是動態變化的。首先作者就爭辯，不應該把鄂圖曼帝國與突厥國家等同在一起，實則鄂圖曼帝國早期的擴張主要在巴爾幹半島，而帝國早期不少反對勢力位於安納托力亞東部的山區，正是今日土耳其核心地區。

正因如此，如何管理巴爾幹半島的諸多基督教勢力就成為了一大考驗。因為鄂圖曼帝國為伊斯蘭國家，採用伊斯蘭教法管治，怎樣處理基督教徒與伊斯蘭教徒的衝突就成為管治難題。早期鄂圖曼帝國採用分而治之的方法，對基督教與伊斯蘭商人採用不同的稅率和律法，但在各種補助之下，實際上兩類商人的稅率差不多，這樣就在保持了伊斯蘭律法的同時，為國家建立了一個公平的環境。這正是鄂圖曼帝國管治藝術的例子。

在《鄂圖曼帝國五百年的和平》中，林佳世子講述鄂圖曼帝國的歷史，他這樣形容晚期鄂圖曼的困境：「當時在帝國知識分子之間，存在著一種『國家猶如人生』的想法，也就是兩者同樣都會歷經誕生、發育、成熟、然後走向衰老的階段。」到十八世紀晚期，全球的發展已經深刻變化，鄂圖曼帝國中期開始使用行之有效的包稅制度已經漸漸解體，以靠向地方勢力賣出包稅權來維持中央財政的方法，漸漸因為鄂圖曼帝國軍事力量的下滑而陷入困境。其中 1798 年拿破崙入侵埃及，鄂圖曼帝國並無有效支援，正可視為這一體制解體的重要起點。

而早在 1740 年法國已經取得的貿易特惠條約，也令鄂圖曼帝國中的法國人得到更好的法律保護，這亦反過來令帝國本身的基督教商人轉為法國的「保護商人」。此為俄國在黑海與鄂圖曼爭奪克里米亞，多次的俄土戰爭下 1771 年被俄國所侵佔，克里米亞當地原本的蒙古人口亦漸漸被遷移，移入俄國人口；同時允許俄羅斯保護鄂圖曼境內的東正教信徒。明顯鄂圖曼帝國在當時已經漸漸失去歷史的主導權。英國在十九世紀漸漸介入中東事務，也愈來愈削弱帝國對中東的管治。到一戰開打，英國知名的阿拉伯的勞倫斯策動中東反抗鄂圖曼的獨立運動，這五百年努力維持帝國終在炮火下瓦解。

08 落地的麥子不死

——讀《橫濱中華街：一個華人社區的興起》

《橫濱中華街：一個華人社區的興起》（2021）是美籍華裔歷史學家韓清安的歷史研究專著，本書講述從 1894 年到 1972 年在日本橫濱華人社區的故事。我一向認為日本是強調單一民族的社會，但此書即表明不可以輕視移民對日本社會組成的作用。從亞洲大陸移民到日本島的「古代歸化人」，在不同時期都有各種人口遷移到日本島上生活。在江戶時代德川幕府的社會管理日益嚴密，到第三代幕府將軍德川家光，則只准許中國商船停泊在長崎港，並在港口設「唐人屋敷」，自當時起華人在日本漸漸被限制管理起來。不過當時的在日華人大多都是富裕的商人，被尊稱為「阿茶先生」，在當地也過著不俗的生活。以上就是我所理解的近代日本華人社區。

但韓清安卻提到橫濱完全不同的起點，一來橫濱華人是隨著 1859 年列強強行與日本通商，在治外法權不平等條約之下進入日本，不少習慣與西方人打交道的華人在當地作為日本人與西方列強的中介而非常活躍。但華人在日本吃得開的局面，卻在 1894 年甲午戰爭的打響徹底打破，當地華人失去國家保護，只能依靠廣東商人建立的「中華會館」維持管理。可想而知，這群在亞洲兩大力量與西方列強的夾縫之間，本來如魚得水的華籍商人，在國際形勢大變之下，即時進退兩難，安身立命也成問題。

韓清安講到日本橫濱的華人社區的故事，實在曲折吸引，很值得一讀。二戰戰敗的日本，從軍國主義的夢魘中醒來，輸掉太平洋戰爭後，日本失去了多民族帝國地位，轉而以單一民族定義國家認同。日軍在東北三省、朝鮮半島、台灣有眾多殖民地，帝國有東亞眾多民族，但在二戰後，日本又回到那種單一民族的身份認同。1947 年 5 月，日本的《外國人登記法》，就取消了這些前殖民地臣民的日本公民身份。不過，當然不是所有人都喜歡日本國籍。

二戰結束到 1952 年，日本處於實際上是美國佔領的同盟國軍事佔領體制當中，橫濱的華人卻因為中國屬戰勝國，成為同盟國國民，享受其身份所賦予的所有裨益。此外，同盟國佔領軍並不干涉中華街的生活。華僑享有不少經濟利益，包括物資的優先配給、免費乘坐火車等。而且華僑貿易公司利用中國同盟國的地位，迅速發展。此外，佔領軍限制日本人與外國人來往，很多華僑也受僱於日本企業，從事對外貿易。

隨著國共內戰與國民黨遷台，國共都在努力爭取華僑的支持，橫濱華人，亦受到衝擊。1952 年 4 月，《舊金山和約》簽訂，日本回復正常國家，在日華人的優勢亦消失。處於困境的橫濱華人，決定回到熱廚房，以餐館為主業。天無絕人之路，中華料理在戰後日本卻出奇地受歡迎，從此改變了日本人的飲食習慣，直到今天。作者認為原因是數百萬在中國的士兵與定居的日本人，已經習慣了中國的食物，並且戰後美國援助的資源，主要是麵粉，以麵粉製作的中華拉麵、燒賣，成為大眾的主要食物。落地的麥子不死，人在異鄉總會有生存之道。

09 扭曲躁競的文化精英

——讀《明清之際的思想與言說》

《明清之際的思想與言說》是內地學者趙園的學術文論結集，收於陳平原教授所主編的「三聯人文書系」叢書之中。這叢書的好處是重視「學者的人間話」，能平衡學術深度與幫助讀者思考，而且經作者自選單篇文章，小而可貴，讀來容易入口，而且一針見血。對讀者來說，偶讀亦總有所得。

趙園是六〇年代老北大，在「文革」以後再考入北大研究院，是中國八〇年代的文化精英。早年從事現代文學研究，也專攻過張愛玲研究。九〇年代之後則轉向研究明清之際的知識分子。本書不少文章，都是來自這一範疇。當中的〈說戾氣〉、〈時間中的遺民現象〉都很出色。在〈說戾氣〉，趙園認為在晚明的知識分子系統裡面充滿戾氣，她借王夫之的說法，認為當時的人「躁競」、「激昂」、好大言「天下」，不斷爭論。確實明代君主，對士人也有不少殘害，包括各種「廠衛」、「廷杖」、與侮辱（與看電影《龍門客棧》[1967]中的普羅印象相一致），這相對上和宋代對士大夫的寬仁有很大不同。

趙園認為，這種上下交爭，對整個思想文化圈有所影響：「明代的政治暴虐，鬧，非但培養了士人的堅忍，而且培養了他們對殘酷的欣賞態度，助成了一種極端的道德主義，鼓勵他們以嚴『酷』為道德的自我完成。」從施虐到自虐，文化精英行事的扭曲漸漸成型，對人對己對外對內，都上升到至高標準，這樣的社會，肯定難以維持。

趙園在〈說戾氣〉一文中，就以王夫之的言論為中心，探討了明清之際士大夫的心理狀態。如果一句話總結，就是「施虐與自虐：衰亡下一種無法持續的攻訐狀態」。趙園認為，明代的士人，對道德近乎潔癖，例如「薄俸」，就是薪水微薄，被視為一種道德行為，「貧不能舉火」、「所居不蔽風雨」、「貧不能葬」等，這種似與生命與生活有仇的準則，卻被當時視為聖賢。施虐同時自虐，對節婦烈女自然大加激賞。

趙園進一步討論到，這種道德化與對儒學的理解同步進行，殘忍、暴力、似乎取代了寬仁、中和成為了明清之際的道德主線。趙園又舉出食人肉的記載，如引《明季北略》，袁崇煥被凌遲處死，百姓認為袁通敵，恨之入骨，紛紛生吞其肉。

趙園認為王夫之是看到了仁是暴的對立面，寬裕自然少殺氣，恢弘自然留有餘地：

「久處殘酷環境固然不好，但將處酷的經驗合理化，不可避免地會導致道德主義；更大的危險，還在於模糊了『仁』、『暴』之辨，使『酷虐』這一種文化內化，造成對士人精神品質的損傷。」施虐到自虐，連對儒學的理解都變得片面，事事不留餘地，社會也變得不穩定。

10 伊卡洛斯式的遺憾

——讀《巴黎陷落：圍城與公社》

對 1870 年的巴黎來說，世界是毫無道理而且殘忍的。這一年的巴黎經受兩次巨大的打擊，包括法國在與普魯士的戰爭完全失敗之後的巴黎圍困與失陷；和巴黎公社事件以及之後的巨大創傷。阿利斯泰爾・霍恩（Alistair Horne）所寫的《巴黎陷落：圍城與公社》（2021）則以此兩件事為中心，書寫 1870 年至 1871 年間混亂的種種歷史細節。阿利斯泰爾・霍恩以結合大量一手資料和細節，把當時巴黎人的心理狀況完整重現出來。

我念茲在茲的是巴黎公社的處境：靠自治與社區互助才得以在圍城中求生數月的巴黎人，被色當會戰中潰敗的法國皇帝所放棄，被動下新成立的法國第三共和，卻在蒙馬特的街頭與巴黎社區的自治部隊起衝突。隨後第三共和更撤出巴黎，讓巴黎陷入管理真空。巴黎公社這個市民自治系統在此背景下成立。

公社的結局非常簡單，新生的法國第三共和本身就以亂黨的心態處理公社成員。第三共和一邊與新生的德國帝國講和，同時卻以德國威脅來推動愛國主義。以緩緩增兵部署包圍的方式備戰，但巴黎公社帶有理想主義的領導，但在就選舉與倫理的問題不斷爭議，無把握時間準備和第三共和作戰，也因為道德原因，沒有把握機會去動用在巴黎的法國國庫資源。巴黎公社這一次理想主義的行動，最後卻向著空想的方向發展，本書的第二部分有關巴黎公社的種種細節，在今日重讀，也還是令人莞爾。

可惜在《巴黎陷落：圍城與公社》一書中，有關巴黎公社自身有不少細節相當遺憾，例如第三共和成立時，完全沒有準確判斷巴黎在普法戰爭中被圍城數個月之下人民的情緒，因為戰爭和饑荒，當時的巴黎事實上已經在暴動的邊緣。

巴黎人自身也一直自視為法國的領導者，認為巴黎公社這種新的模式理所當然地會成為全國模仿的對象，且長年把巴黎以外的法國外省視為鄉下地方，並以巴黎為世界一流城市自居。這種城鄉之間的差距，也令巴黎與巴黎公社的行動，在巴黎人眼中很合理，外省則視之為動亂。

同一時間，新生的第三共和也沒有因為巴黎公社的理想主義和天真就放過他們。第三共和以愛國主義為宣傳主線，無論德國的威脅、抑或法國阿爾薩斯省被德國所奪取，都視為法國人必須復仇之事。巴黎公社和左翼分子，則成為法國復興中必須消滅的敵人。大量工人、婦女被視為公社成員而遭殺害，當時的攝影師為巴黎公社的行動留下大量新聞照片，第三共和則利用這些照片追捕並槍斃公社參與者。

今天蒙馬特山上的白教堂聖心殿的周邊，就是事件衝突最激烈的地方。而之所以興建聖心殿，則是為了彌補當時公社事件的傷害。

11 誰能統治一個擁有 246 種芝士的國家
——讀《戴高樂將軍》

傳記《戴高樂將軍》(2020)是英國歷史學者朱利安・傑克遜(Julian T. Jackson)所著的長篇傳記,記述法國重要政治家戴高樂(Charles de Gaulle)的一生。要了解今日世界,近代法國史是不得不去了解的一筆,而閱讀戴高樂將是一個很好的切入點。

二戰留給人類其中一個大問題,就是為什麼當時歐洲這麼輕易容許納粹政權在德國出現,而德法兩國的恩怨是其中一個重要切入點。戴高樂在 1890 年生於法國北部,正值法國處於普法戰爭的失敗與其後的混亂之中。戴高樂一代也明顯受愛國主義教育,講授德國是法國的最大敵人。戴高樂很早就立志從軍,在一戰時他初戰參加凡爾登戰役,卻受傷而被俘虜,在戰俘營渡過了一戰,也不知道是幸運還是不幸。

三〇年代戴高樂在軍中的聲望愈來愈大,他作為少壯派軍官很早就提出法國需要建立坦克部隊,並認為坦克將會在未來的戰爭中的主力武器。這一點並未在法國軍中得到足夠注意,但希特拉則顯然更了解坦克的作用。1939 年納粹德國與蘇聯簽訂不侵犯條約,雙方並同時入侵波蘭,極權者的野心已經相當明顯。

二戰德法比利時戰線開打，德國坦克以高速繞過法國防線。法國的坦克數量其實不少，但在德國坦克的機動力下，法軍一直無法有效集結防守，德軍把英法聯軍圍困鄧寇克。及後盟軍雖然成功撤退，但法國淪陷已成定局。

這時撤退到倫敦的戴高樂，展現了與別不同的政治勇氣，戴高樂向邱吉爾要求使用 BBC 電台支援留英的法國人，邱吉爾同意借出電台頻道。這叫作「618 發言」，後來被認為是戴高樂掌握權力與「自由法國」誕生的先聲。

「誰有本事來統治一個擁有 246 種不同芝士的國家呢？」戴高樂曾經用這句說話，去形容管治法國的困難。1958 年，法國在阿爾及利亞獨立運動中陷入困境，法國修訂憲法，增強總統權力，成立第五共和，同年戴高樂被選為法國總統。戴高樂在任期間最重要的國際事件，就是推動法國脫離北約。

戴高樂的其中一個觀點就是他不認同冷戰格局對法國與歐洲最為有利，他一直認為把世界分為兩個意識形態集團的做法有悖於歷史法則，地緣政治比意識形態重要。戴高樂也不同意法國失去對軍事的獨立性，進一步說是不滿北約中美國與英國有主導性的發言權，英美在北約領導地位與二戰盟軍歷史有關，但到了六〇年代，已經逐漸重建的歐陸顯然要求更大的自主權，而法國自然是當中最強大的聲音。法國在建立核武的過程也得不到美國支持甚至有所限制，而且其大量的海外屬地也需要軍事保護。

當時的歐洲各種能源組織漸次建立，歐洲各國對冷戰的二極格局當然不滿，因為一旦開戰，歐洲會成為前線戰場。1967 年成立的「歐洲共同體」是今日歐盟的前身，可以說是歐洲尋求解決冷戰格局的方式。戴高樂在 1966 年宣佈脫離北約，同年訪問蘇聯，再訪問柬埔寨，這對美蘇兩國都發出明顯信息，歐陸願意和美蘇討論屬於自身的利益。沒有美國參與的歐盟，也令當時蘇聯有更大的理由支持東西德統一。

12 日本戰國女性群像

——讀《戰國日本》

《戰國日本》（2010）講述日本戰國歷史，是日本女作家茂呂美耶的作品。她生於高雄，在台灣接受中學教育，又曾在鄭州留學，能使用中文和日文寫作。她是一位很多產的作者，因曾翻譯小說《陰陽師》（2003）而廣受關注。這本寫得淺白的戰國歷史小書，分為大事篇、飲食篇、女性篇與城池篇。當中大事篇以歷史風雲人物為主線，織田信長、豐臣秀吉與德川家康三巨頭的故事一定會有。毛利元就、上杉謙信、武田信玄這些很受讀者關注的戰國大名亦有專章。其中有意思的就是比較早期的北條早雲與齋藤道三都有討論，對一般讀者來說，這書應該能幫助大家了解戰國時代大部分重要大名了。以事件為主的則包括廣為人知的桶狹間之戰與本能寺之變，也是四平八穩的選擇。

不過，我更加喜歡她在飲食篇裡對取材的描述。例如，她寫道織田信長不喜歡吃京都料理，因為信長認為京都料理的味道太淡，幾乎沒有調味。事實上，信長甚至打算當場處死那位倒霉的廚師。最後，廚師把所有的菜式都加了鹽，信長立即就覺得很好吃。其實日本或是朝鮮王朝的宮廷料理口味都非常淡泊，這可說是東亞王室風尚，也可能反映了宮廷與武士階級的分別。

書中以飲食來描述戰國人物的方式實在有趣。透過觀察一個人的飲食習慣，我們可以看出他的個性特質。例如，當我們談論豐臣秀吉和食物的關係時，可以看到他非常重視糧食，尤其是在和其他國家的大名進行戰爭時。他參戰時總是先從糧食開始著手，並詳細了解戰場附近的糧食情況，甚至不惜高價購買附近糧食。在攻打鳥取城時，敵方城主甚至將自己儲存的糧食都賣給豐臣秀吉，結果到真正打仗時，對手城內就馬上饑荒了。

除了飲食，茂呂美耶寫作戰國時期日本女性的命運更是精彩，例如豐臣秀吉之妻寧寧。織田信長的妹妹市姬、市姬所生的淺井三姐妹茶茶、阿初與阿江，都是戰國時代所留下的非常曲折的女性故事。市姬可以說是見證了女性在戰國時代的苦難，她與淺井家家督淺井長政的婚姻是政治婚姻，為的是織田家與淺井家的同盟。但人稱戰國第一美女的市姬，順利的和淺井長政發展出感情。但好景不常。織田與朝倉家的對立，導致淺井家與織田家反目成仇，淺井長政最後在居城切腹，臨行前送市姬與三名女兒出城。在三名女兒眼中，信長舅父置父親於死地，必然對她們造成巨大創傷。及後市姬改嫁信長大將柴田勝家。勝家後來又敗給豐臣秀吉而死。市姬的故事，實是一悲劇。茂呂美耶寫得貼心，把她們的故事說得很精彩。

推薦書單

中文文學

1 西西：《花木欄》，台北：洪範書店，1990 年。

2 西西：《畫 / 話本》，台北：洪範書店，1995 年。

3 西西：《旋轉木馬》，台北：洪範書店，2001 年。

4 也斯：《山光水影》，香港：牛津大學出版社，2002 年。

5 也斯：《街巷人物》，香港：牛津大學出版社，2002 年。

6 劉以鬯：《酒徒》，香港：獲益出版事業有限公司，2003 年。

7 劉紹銘：《舊時香港：劉紹銘自選集》，香港：天地圖書有限公司，2009 年。

8 陳智德：《地文誌：追憶香港地方與文學》，台北：聯經出版事業股份有限公司，2013 年。

9 樊善標主編：《香港文學大系（一九一九－一九四九）：散文卷一》，香港：商務印書館（香港）有限公司，2014 年。

10 危令敦主編：《香港文學大系（一九一九－一九四九）：散文卷二》，香港：商務印書館（香港）有限公司，2014 年。

11 曾卓然主編：《也斯的散文藝術》，香港：三聯書店（香港）有限公司，2015 年。

12 夏志清著，劉紹銘等譯：《中國現代小說史》，香港：香港中文大學出版社，2015 年。

13 朱少璋：《黑白丹青：朱少璋人物素描》，香港：匯智出版有限公司，2016 年。

14 南海十三郎著，朱少璋編：《小蘭齋雜記》，香港：商務印書館（香港）有限公司，2016 年。

15 陳滅（陳智德）：《市場，去死吧（增訂版）》，香港：石磐文化有限公司，2017 年。

16 許子東：《許子東現代文學課》，香港：中華書局（香港）有限公司，2018 年。

17 劉紹銘：《吃馬鈴薯的日子》，香港：香港中文大學出版社，2019 年。

18 老舍著，陳志堅導讀：《駱駝祥子（第二版）》，香港：三聯書店（香港）有限公司，2020 年。

19 樊善標主編：《香港文學大系（一九五〇－一九六九）：散文卷一》，香港：商務印書館（香港）有限公司，2021 年。

20 危令敦主編：《香港文學大系（一九五〇－一九六九）：散文卷二》，香港：商務印書館（香港）有限公司，2021 年。

21 舒巷城：《白蘭花（紀念版）》，香港：花千樹出版有限公司，2022 年。

22 也斯：《也斯的香港（增訂版）》，香港：三聯書店（香港）有限公司，2022 年。

23 侶倫著，張詠梅注：《向水屋筆語（增訂注釋版）》，香港：三聯書店（香港）有限公司，2023 年。

24 鄧小樺等著：《文學看得開（作家篇增訂版）》，香港：香港文學生活館，2023 年。

25 曹聚仁：《文壇五十年》，香港：三聯書店（香港）有限公司，2023 年。

26 王璞：《故城故事》，台北：二〇四六出版有限公司，2023 年。

27 金宇澄：《繁花》，台北：東美出版事業有限公司，2024 年。

翻譯文學

1 大江健三郎著，劉慕沙譯：《換取的孩子》，台北：時報文化出版企業股份有限公司，2002 年。

2 村上春樹著，賴明珠譯：《沒有色彩的多崎作和他的巡禮之年》，台北：時報文化出版企業股份有限公司，2013 年。

3 村上春樹著，賴明珠譯：《萊辛頓的幽靈》，台北：時報文化出版企業股份有限公司，2018 年。

4 村上春樹著，賴明珠譯：《國境之南　太陽之西》，台北：時報文化出版企業股份有限公司，2018 年。

5 喬治·歐威爾著，劉紹銘譯：《一九八四》，香港：香港中文大學出版社，2019 年。

6 谷崎潤一郎著，賴明珠譯：《文章讀本》，台北：聯合文學出版社，2020 年。

7 村上春樹著，劉子倩譯：《第一人稱單數》，台北：時報文化出版企業股份有限公司，2021 年。

8 大江健三郎著，張秀琪譯：《靜靜的生活（二十周年紀念新版）》，台北：時報文化出版企業股份有限公司，2022 年。

9 村上春樹著，賴明珠譯：《沒有女人的男人們》，台北：時報文化出版企業股份有限公司，2022 年。

10 村上春樹著，詹慕如譯：《村上 T：我愛的那些 T 恤》，台北：時報文化出版企業股份有限公司，2022 年。

11 大江健三郎著，陳保朱譯：《為什麼孩子要上學（紀念新版）》，台北：時報文化出版企業股份有限公司，2023 年。

12 安東．契訶夫著，丘光譯：《帶小狗的女士：契訶夫小說新選新譯（修訂版）》，台北：櫻桃園文化，2024 年。

歷史

1 趙園：《明清之際的思想與言說》，香港：三聯書店（香港）有限公司，2008 年。

2 森谷公俊著，黃鈺晴譯：《亞歷山大的征服與神話：

非希臘中心視角的東西方世界》，台北：八旗文化，2018 年。

3 林俊雄著，陳心慧譯：《草原王權的誕生：斯基泰與匈奴，早期遊牧國家的文明》，台北：八旗文化，2019 年。

4 小杉泰著，薛芸如譯：《伊斯蘭帝國的吉哈德：一部奮鬥、正義與融合的伊斯蘭發展史》，台北：八旗文化，2019 年。

5 林佳世子著，林姿呈譯：《鄂圖曼帝國五百年的和平：跳脫土耳其視角的非伊斯蘭帝國》，台北：八旗文化，2019 年。

6 韓清安著，尹敏志譯：《橫濱中華街：一個華人社區的興起》，北京：社會科學文獻出版社，2021 年。

策劃編輯　梁偉基

責任編輯　許正旺

書籍設計　陳朗思

書　　名　閱讀，探索世界的方式

著　　者　曾卓然

出　　版　三聯書店（香港）有限公司

香港北角英皇道四九九號北角工業大廈二十樓

香港發行　香港聯合書刊物流有限公司

香港新界荃灣德士古道二二〇至二四八號十六樓

印　　刷　美雅印刷製本有限公司

香港九龍觀塘榮業街六號四樓 A 室

版　　次　二〇二四年四月香港第一版第一次印刷

規　　格　三十二開（130 mm × 190 mm）二六四面

國際書號　ISBN 978-962-04-5443-1

© 2024 三聯書店（香港）有限公司

Published & Printed in Hong Kong, China.